Hecho a mano

Taller de manualidades para el diseño

Hecho a mano

Taller de manualidades para el diseño

Carmen Sheldon
Robin Williams

MULTIMEDIA

TÍTULO ESPECIAL

TÍTULO DE LA OBRA ORIGINAL:
Robin Williams Hand Made Design Workshop create handmade elements for digital design

RESPONSABLE EDITORIAL:
Eugenio Tuya Feijoó

TRADUCTOR:
María Jesús Fernández Vélez

DISEÑO DE CUBIERTA:
Celia Antón Santos

Edición española:
© EDICIONES ANAYA MULTIMEDIA (GRUPO ANAYA, S.A.), 2012
   Juan Ignacio Luca de Tena, 15. 28027 Madrid
   Depósito legal: M-15018-2012
   ISBN: 978-84-415-3179-6
   Printed in Spain

Ilustración esgrafiada y etiqueta de vino, por Kim Rossiter Bernardt.

A Greg. Gracias, amor mío. A mis padres, Donald y LaVerne Richert, que me enseñaron el mundo. Os echaré de menos.

Carmen

A Carmen Sheldon, Barbara McNally, Kathy Thornton. Echo de menos enseñar con vosotros en el Junior College.

Robin

Agradecimientos

Carmen, gracias por dejarme participar contigo en este libro. Es para mí un honor que hayas elegido incluirme. He de decir que, después de haber escrito y diseñado más de sesenta libros, que con ninguno antes había disfrutado tanto ni me había sentido tan a gusto y feliz. Ha sido un auténtico placer. ¡Gracias! Gracias a John Tollett, mi "Dulce Corazón", por hacer y retocar pacientemente con Photoshop cientos de fotografías con toda la bondad de tu grande y precioso corazón, y por inventar ejemplos cuando Carmen y yo estábamos totalmente agotadas y bloqueadas. ¿Qué haría yo sin ti?

Y Nikki McDonald (editora), Barbara Riley (correctora) y David Van Ness (responsable de preimpresión). Gracias por un trabajo magnífico.

~Robin

Son muchas las personas que me han animado a cumplir mi sueño de escribir un libro. Mi querida amiga Robin Williams, autora de gruesos volúmenes sobre ordenadores para Peachpit Press, siempre ha estado ahí intentando convencerme de que escribiera. Pero no sé por qué siempre he tenido la sensación de que no tenía nada que añadir a la larga lista de libros dedicados a la creación de gráficos atractivos.

A pesar de ello, nunca lograba dar con un libro que cubriera todas las técnicas que enseño a mis estudiantes y que no incluyen el uso de aplicaciones digitales. Ése era el vacío al que sí podía contribuir. Entonces llegó la oportunidad de tomarme un periodo sabático y sin darme cuenta me encontré a mí misma disponiendo de una bonita cantidad de esa preciosa materia prima que es el tiempo. Así, aproveché las tardes después de mis clases de español en Sudamérica para aporrear las teclas de mi portátil. Había algo familiar y reconfortante en escribir acerca de mis materiales y técnicas artísticas favoritas en una ciudad extranjera.

Mientras yo lo hacía, mi sufrido marido, Greg, se dedicaba aplicadamente a hacer sus deberes de español. Cuando le miraba, podía percibir en él lo mucho que le hubiera gustado que yo mostrara más interés en las conjugaciones de verbos españoles que en las técnicas de texturas con pasta de modelado, pero lo cierto es que siempre se esforzaba por que yo tuviera el tiempo suficiente para completar otro capítulo. Greg incluso aceptó asumir la ardua tarea de fotografiar paso por paso todos mis proyectos. Le debo infinito por su paciencia, sus ánimos y su duro trabajo. Cuando por fin estuve a punto de terminar la versión borrador de este libro, se lo enseñé a Robin y le sugerí prudentemente que quizá podría formar parte de sus publicaciones. Su respuesta fue un sí lleno de entusiasmo.

Robin y su amado y talentoso compañero John no sólo me acompañaron en mi andadura por el hasta entonces para mí desconocido mundo editorial, sino que me ayudaron a recopilar todas mis obras en un sensacional libro y añadieron información y preciosos ejemplos de diseño. No lo habría podido hacer sin ellos. Gracias a los dos. Os quiero de aquí a la luna y vuelta.

También quiero incluir aquí un especial reconocimiento a mi fantástico profesor de diseño gráfico Max Hein, por ser para mí una fuente inagotable de inspiración. Es mucho lo que ha aprendido de él.

Por supuesto, la verdadera inspiración de este libro son mis alumnos. Mi objetivo fue siempre reunir la información de un modo eficaz que les sirviera como referencia para sus trabajos y proyectos. Ellos me han animado, enseñado nuevas técnicas e incluso contribuido a este libro. Enseñar a una clase de estudiantes motivados con muchas ganas de aprender es una magnífica experiencia.

También quiero dedicar unas palabras de agradecimiento a mi manicura Susan Doan. Como artista, mis manos y mis uñas siempre tienen un aspecto que deja bastante que desear. Menos mal que Susan siempre estuvo ahí para ayudarme a estar más presentable en todas esas fotografías. Gracias, encanto.

Gracias a Peachpit por darme la oportunidad de crear un libro como éste que se aparta tanto de la corriente tecnológica imperante. Me habéis apoyado mucho, Nikki, y me siento también muy agradecida por todos los esfuerzos entre bastidores de David y Barbara.

~Carmen

Sobre las autoras

Carmen Sheldon lleva enseñando diseño gráfico en el Santa Rosa Junior College desde 1985. Antes de eso, tenía un pequeño estudio de diseño junto con Robin Williams, donde se convirtieron en amigas de por vida y en compañeras inseparables del mundo del diseño.

Robin Williams es la autora de docenas de famosos libros que han ganado multitud de premios, tales como *Diseño gráfico: fundamentos, Tipografía digital, Diseño Web, Exprime el Mac, El Mac para todos* y muchos más.

Índice de contenidos

Share the exciting adventures of world-class bird watchers **Donal & LaVerne Richert.**

From the jungles of Ghana, West Africa to glacial Alaska, Don and LaVerne have hunted with dogged determination and top-notch binoculars to catch a glimpse of the world's most beautiful, rare, and precious birds. In this heart warming multimedia presentation, they share their peak experiences, crushing disappointments, and humorous encounters with their feathered friends and the people who watch them.

September 14, 2010
7:30–9:30 PM
The Rose Room
134 Lucida Road
Windsor, CA 95492
$12 at the door

Carmen utilizó aquí una textura de sal con acuarela para crear un efecto de pájaros volando por el cielo en esta obra para la presentación de sus padres.

Robin ilustró esta invitación de boda para tipógrafos con mosaicos.

Prólogo

Carmen y yo hace ya más de treinta años que nos conocemos. Hemos estado juntas en colegios, pequeños negocios, matrimonios, nacimientos, muertes, divorcios, nuevos compañeros, ciudades extranjeras y adolescentes.

Seguramente pensarán que es porque nos parecemos, pero lo cierto es que no podemos ser más distintas y estoy convencida de que pronto de darán cuenta de ello en este libro. Para empezar, ella es una excelente dibujante y acuarelista y a mí me dan pánico los pinceles que no sirvan para pintar las paredes de una casa. Por eso, donde Carmen ofrece preciosas y elegantes muestras de arte cuidadas hasta el más mínimo detalle, yo suelo aportar versiones chapuceras y rápidas más propias de una persona a quien le dan miedo los pinceles, lo cual da al lector la posibilidad de elegir lo que más le guste de ambos mundos para combinarlos y crear sus propios proyectos asustados, chapuceros, elegantes y maravillosos.

Pero entonces, es posible que ya haya tenido algún flirteo en el mundo de las manualidades, ¿puede ser? Yo también. Justo antes de que Carmen viniera a mí con su libro, yo ya había empezado a fabricar materiales propios para algunos de mis proyectos, una colección de libretos de 20 páginas que publico cada dos meses, cada uno con un diseño completamente diferente y original (`TheShakespearePapers.com`). Por ejemplo, había puesto en práctica mis habilidades con los mosaicos en algunos de los dibujos, había estudiado encuadernación para crear mis propios libros en miniatura y había tomado la decisión de hacer mis primeros pinitos en el arte del grabado en madera. Entonces me di cuenta de que no era sólo yo, de que era una corriente general y que en el mundo del diseño había una especie de necesidad de dejar aparcados los ordenadores y de volver a poner las manos en la masa.

Carmen hace tiempo que es una pionera en este sentido, pues lleva muchos años dando a sus estudiantes de diseño digital una clase en las que nunca tienen que tocar un ordenador. Cuando terminan el curso, sus alumnos descubren que son mejores diseñadores "digitales" cuando amplían su baúl de herramientas creativas para incluir algunas técnicas que no guardan ninguna relación con la informática, como la fabricación de papel, las pinceladas de pintura y el modelado de arcilla. Este libro es uno de los resultados de esas clases que ella da.

Por eso, es el libro de Carmen, yo sólo la he ayudado. Es su voz la que se oye entre sus páginas. Siempre que aparezco o en los casos en los que no queda claro quién es la que habla, he incluido una de nuestras iniciales para que no haya duda.

Carmen y yo puede que seamos muy diferentes, pero las dos creemos que es ahora o nunca, para ampliar nuestras posibilidades como diseñadores digitales y para aprender nuevas formas de crear trabajos únicos y genuinamente personales. Eso significa poner a un lado el ratón, agarrar un pincel y ensuciarse un poco las manos.

Robin

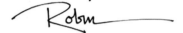

Se preguntará cuál es el motivo para escribir un libro como éste en una era digital como en la que vivimos. Después de todo, hay muchos sitios Web que ofrecen texturas, fotografías, dibujos y fuentes de forma gratuita o a cambio de casi nada. ¿Por qué querría un diseñador crear una textura de fondo original a riesgo de ensuciarse las manos y de arruinarse la manicura en ello? ¿No es verdad que para ser un buen diseñador en una era tan refinada y ordenada como ésta lo único que hace falta es una tarjeta Visa, algunos buenos enlaces y dominar algunas técnicas de Photoshop?

No. Créame, yo adoro a mi Mac hasta casi la obsesión. Pero, como diseñadora y docente, lamento la falta de variedad y la monotonía de tantas obras de diseño que se crean cuando no se está dispuesto a apagar el ordenador, a alejar la silla ergonómica del escritorio, a desempolvar el viejo baúl de materiales artísticos y a crear algo original con esencia de humanidad.

No se equivoquen: no estoy defendiendo que debamos deshacernos de las herramientas digitales y volver a los días del pegamento de goma y el rubylith. Lo que estoy proponiendo es que hagamos cosas con las manos, que las digitalicemos, que las dotemos de cuerpo y de sensibilidad, que las acompañemos de una tipografía útil y que creemos algo auténtico y verdaderamente original.

Muchas de las corrientes y técnicas más populares que utilizamos hoy en día tienen su origen en obras de pura artesanía que nos esforzamos por recrear con aplicaciones informáticas. El diseñador actual debe levantar la vista y mirar el mundo en todo su magnífico esplendor y tomarlo como inspiración para crear trabajos de arte visual capaces de comunicar algo a una audiencia cada vez más vasta y diversa. Mantener la nariz a escasos centímetros de una pantalla de ordenador sólo sirve para perpetuar la monotonía del diseño y la carencia de conexión humana o de interés para este mundo moderno.

No hay ningún sitio en Internet que me inspire tanto como una visita a una exposición de arte moderno en el SF MOMA ni búsqueda en Internet que me proporcione más ideas que un paseo en barco entre los rascacielos de Chicago. Ni siquiera los anuales de diseño tienen ese algo especial que tiene tocar con las manos una colcha kente de Ghana. Todas estas experiencias son fuentes de materiales para nuestro trabajo y nos aportan ideas que son a la vez diferentes y originales. Si hacemos un esfuerzo por ser creativos y curiosos, por hacer acopio de elementos visuales, llegado el momento de quitarnos los bloqueos creativos, comprobaremos cómo nuestra mente se convierte en una olla burbujeante y repleta de ideas y conceptos que son sólo nuestros.

Durante mi estancia sabática en Sudamérica tuve el placer de visitar la casa del premiado poeta chileno Pablo Neruda en Isla Negra. Siempre me ha fascinado saber cómo vive la gente creativa. Me despierta la curiosidad ver cómo combinan su día a día con las cosas que realmente les apasionan. La casa de Neruda marcó una profunda impresión en mí. Sentí una especie de vínculo fraternal con esa forma que tenía él de rodearse de las cosas más extrañas para luego utilizarlas como inspiración en su poesía. Coleccionaba de todo: viejos pies de cristal para pianos, calientasábanas de cerámica desgastada, efigies de proa de barcos antiguos, insectos, conchas. Él decía de sí mismo que era un "cosista" (palabra inventada por él) más que un coleccionista porque, según él, los coleccionistas suelen coleccionar una sola cosa y buscar siempre el mejor ejemplo de esa cosa, mientras que los "cosistas" acumulan objetos de todo tipo, cualquier cosa que les fascine, tanto si tiene valor como si no lo tiene y tanto si está en buen estado como si no lo está.

Encontré en Neruda a un alma gemela. Yo también colecciono cosas. No en la medida en que lo hacía Neruda, pero lo hago. Impresiones artísticas de aquí y de allí, objetos efímeros encontrados en los rincones más insospechados, telas y muestras de tejido o de folclore. Pero, sobre todo, colecciono ideas que guardo en mi enorme baúl de materiales: retales de cualquier cosa que me interese, pequeños gráficos que junto con pegamento, citas que me inspiran, técnicas contemporáneas de bellas artes que luego utilizo en mis trabajos de diseño gráfico, etcétera.

Con este libro, espero servirles de inspiración para que también se conviertan en "cosistas". Mi deseo es inspirarles para que miren el enorme mundo que nos rodea, lo quieran probar todo y se conviertan en artistas auténticamente originales.

Carmen

Carmen

Materiales

Los materiales son una parte fundamental de la ecuación cuando se trata de crear cosas hechas a mano. Mi experiencia personal con el éxito y el fracaso de una técnica concreta suele depender de los materiales que elijo desde el principio. Odiaba la técnica de esgrafiado hasta que encontré las placas Esdee en Inglaterra; las acuarelas eran para mí una pesadilla hasta que descubrí los rollos de papel Arches de 300 lb (650 gr/m2); la técnica de calco era frustrante hasta que probé las hojas Vidalon de 90 lb (163 gr/m2) de la marca Canson. En algunos aspectos de mi carrera soy poco exigente y recurro a cualquier objeto a mano para hacer lo que quiero hacer (incluido un PC), pero hay otros campos en los que soy una verdadera elitista y solo me conformo con lo mejor. Descubra cuáles son sus materiales favoritos y téngalos siempre a mano. Si le gustan es más probable que quiera emplearlos.

1. Superficies para crear

Uno de los motivos por los que quería ser diseñadora de impresión es la gran fascinación que me despiertan y el amor incondicional que siento hacia los papeles y otros tipos de superficies. Me encanta su olor, su tacto y su aspecto visual. Colecciono papeles allá dónde voy y los guardo en grandes cajones de mi estudio. Y luego los utilizo en *collages*, fondos, ideas, maquetas y muchas cosas más. A menudo, mis proyectos tienen su origen en una sencilla hoja de algún tipo de papel maravilloso.

No obstante, elegir un papel inadecuado o una superficie inconveniente para un proyecto puede ser la fuente de enormes frustraciones. Por eso es importante experimentar, hacer preguntas y conocer las características específicas de cada uno de los materiales que se va a utilizar.

He trabajado con muchos tipos de superficies y papeles y, lógicamente, he desarrollado algunas preferencias bastante personales a lo largo de los años. Desde aquí, animo al lector a hacer lo mismo, a investigar las distintas clases de papeles y superficies que existen, a experimentar con cualquier cosa que encuentre, a estar pendiente de cualquier cosa nueva que aparezca en el mercado, a hacer miles de preguntas y a organizar su colección de manera que no sólo la proteja económica o materialmente, sino que también la mantenga permanentemente al alcance de la mano.

TÉRMINOS

- **Sustrato:** En este caso, hace referencia al lugar que sirve de asiento a una forma artística. Tipos de sustrato son, por ejemplo, el papel, el masonite, el acetato, la cartulina, un azulejo, una pared, una camiseta, etc.

- **Tabla o tablilla:** No tiene por qué ser de madera. Puede ser un elemento de papel rígido, como la cartulina comprimida.

- **Cartón de ilustración:** Es un tipo de cartulina rígida satinada sobre la que se pueden utilizar rotuladores, lápices, tinta, etc., o montar trabajos acabados de diseño.

- **Calidad de archivo:** Significa que durará hasta el final de los tiempos o al menos doscientos años, lo que ocurra primero.

- **Contenido en fibra:** Puede ser fibra de algodón o de lino (como los trapos normales), por oposición a las fibras de madera (celulosa). Cuanto mayor es el contenido en fibra que tiene un papel, más alta es su calidad de archivo y más difícil es que se desintegre al mojarse. Por eso los billetes salen de la lavadora y de la secadora en perfecto estado, porque están hechos de papel con un ciento por cien de fibra. Material del bueno.

- **Rugosidad:** Es una característica que tienen algunos papeles y que consiste en una ligera aspereza que favorece que los trazos hechos a lápiz, carboncillo, etc., se adhieran bien creando una textura muy sutil.

- **Imprimar:** Algunos sustratos necesitan ser imprimados antes de utilizarlos para que la pintura se adhiera mejor. Una técnica de imprimación es pintar con gesso, ya sea blanco, transparente o negro. Otra forma de imprimar es el fondo absorbente (véanse los capítulos 2 y 12).

PAPEL BOND O DE HILO

Puede utilizar papel de hilo blanco de grano fino para hacer dibujos y gráficos a lápiz o rotulador. El papel bond se compra en blocs de distintos tamaños, desde 9 x 12 pulgadas (228,6 x 304,8 mm) hasta 19 x 24 pulgadas (482,6 x 609,6 mm). El que los diseñadores solemos utilizar en nuestras impresoras de sobremesa es el de 8,5 x 11 pulgadas (215,9 x 279,4 mm).

A mí, personalmente, me gusta llevar siempre conmigo tarjetas de 3 x 5 pulgadas (76,2 x 127 mm) para anotar ideas. Mis favoritas son las pequeñas, blancas, no regladas ni rayadas y fabricadas en papel de hilo, más exactamente las de tipo cartulina (Robin utiliza la aplicación de notas de su iPhone, que se sincroniza automáticamente con la aplicación de correo de su Macintosh).

PAPEL CALCO

El papel calco es un papel fino semitransparente que se coloca sobre las imágenes para calcarlas. Se compra en blocs y en rollos de varios tamaños y pesos.

Lo hay más ligero y más pesado. El papel calco ligero es más adecuado para crear miniaturas (bosquejos rápidos), así como para realizar calcados.

Personalmente, prefiero el más pesado, también llamado papel vitela, perfecto para utilizar con rotuladores y lápices Prismacolor y lo suficientemente duradero como para borrar o eliminar el color del rotulador con un cuchillo X-Acto. Los papeles Vidalon de 90 lb (163 gr/m²) y 110 lb (199 gr/m²) de la marca Canson son sólo dos de mis favoritos.

PAPEL VEGETAL

Es un papel translúcido, normalmente más opaco que el papel calco pero más transparente que el papel normal de hilo.

Su rugosidad lo hace especialmente receptivo al lápiz, el carboncillo y los pasteles. Los de mejor calidad tienen un contenido en fibra que los hace más resistentes y receptivos a los rotuladores de punta porosa.

Hay papeles vegetales específicamente diseñados para rotuladores que garantizan la nitidez sin riesgo de que la tinta se corra o traspase. Mi marca favorita es un bloc de papel gráfico Bienfang Graphics 360 de 9 x 12 pulgadas (228,6 x 304,8 mm).

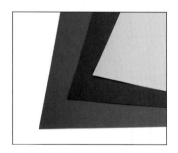

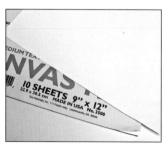

PAPEL DE IMPRESIÓN

Puede encontrar papeles de impresión (para uso en imprentas comerciales) de distintos tipos según su peso, texto o cartulina, en cualquier tienda de suministros de arte y en Internet. Las imprentas y los comerciantes de papel también a veces también tienen hojas de muestras. Cuando se genera una prueba (una reproducción exhaustiva de la versión final de un proyecto en 2D) para un cliente, es más fácil que se haga una idea del aspecto final que tendrá la impresión si se utiliza el mismo papel.

Los diseñadores pueden adquirir cuadernos de muestras de papel de impresión de los fabricantes de papel.

El papel metálico es un papel laminado de aluminio muy fino con el dorso bien normal o del tipo que se despega. Utilice esta clase de papel para generar pruebas en las que desee simular un efecto de termoimpresión o en etiquetas de bebidas, por ejemplo.

PAPEL COUCHÉ

El papel couché se suele comprar en grandes láminas individuales y su precio puede variar entre menos de un euro y más de 25. Este tipo de papel es muy práctico para crear *collages* espectaculares y para integrar texturas y fondos interesantes en los trabajos.

Es muy fácil de escanear, pero un dato muy importante es asegurarse primero de que no tenga *copyright*. Algunos de los más caros son verdaderas "obras de arte" y están protegidos por los derechos de autor de su creador. Así que antes de incluir un papel couché en uno de sus proyectos de diseño, no olvide darle la vuelta para ver si está sujeto a las leyes de propiedad intelectual. Las demandas legales no son divertidas.

PAPEL DE ACUARELA

Este tipo de papel, cuanto mayor es su contenido en fibra, mayor también su calidad.

Lo hay prensado en frío y prensado en caliente: el primero presenta una superficie texturizada y el segundo lisa y satinada.

Cuanto más pesado, menos tendencia a doblarse y a arrugarse cuando se utilizan sobre él sustancias diluidas en agua. Un peso normal y adecuado para la mayoría de los proyectos es el número 140 (140 libras).

Hay papeles de acuarela de alta calidad como Arches, Rives, BFK o Lana (de Francia), con superficies muy agradables y convenientes para trabajar.

LIENZOS

Robin no mantiene una muy buena relación con las acuarelas y por eso prefiere utilizar los lienzos de un cuaderno de lienzos. Los suele comprar de 9 x 12 pulgadas (228,6 x 304,8 mm) porque son más pequeños, la intimidan menos y caben perfectamente en el escáner. No se arrugan como el papel de acuarela. De todos modos, Robin utiliza más las pinturas acrílicas.

Los lienzos se pueden comprar en cuadernos, en rollos o ya estirados sobre barras de madera. Lo normal es darles una primera capa de pintura, lo que se llama imprimar, con algo como el gesso blanco (consulte el capítulo 2) para asegurar que la pintura se adhiera bien. Algunos lienzos ya vienen imprimados y listos para usar.

    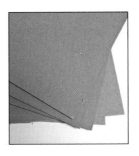

CARTÓN BRISTOL

El cartón Bristol es un papel blanco robusto, normalmente de calidad archivo, que se compra en hojas individuales o en blocs. Su grosor se mide en pliegues, entre 1 y 5, que tiene que ver con el número de capas de papel que van laminadas juntas. Los dos lados del papel son iguales y se pueden utilizar indistintamente.

El papel vitela Bristol es adecuado para medios que requieren cierta rugosidad. El acabado liso es perfecto para pluma, tinta, algunas técnicas de lápiz, pulverizado y algunos medios secos que necesitan una superficie lisa. Un buen cartón Bristol de alta calidad, como el Strathmore de las series 400 a 500, está hecho de fibra de algodón y permite borrar varias veces sobre la misma zona sin que se "plumillee".

MASONITE

El masonite, tablero de fibras de madera, es barato, duradero y muy rígido. Imprímalo con GAC 100 o 700 y luego gesso (véase el capítulo 2) para evitar que los colores se mezclen en la pintura.

A Robin le encanta el masonite porque la intimida menos a la hora de colocar sobre él pintura y otras sustancias. Tiene un aspecto basto y barato, mucho menos presuntuoso y elegante que el precioso y caro papel de acuarela. Una no se siente tan mal si tiene que acabar tirándolo a la papelera.

TABLILLAS Y PANELES ARTÍSTICOS

Son tablillas artísticas imprimadas con gesso que vienen listas para pintar sobre ellas. Las hay de superficie lisa, de superficie texturizada tipo lienzo y de superficie arcillosa para esgrafiado,

se pueden comprar montadas en bastidor, como se observa en la imagen. Proteja o pinte el perímetro y tendrá un sustrato listo para colgar cuando termine de incorporar la obra a su proyecto de diseño digital.

PLEXIGLÁS

Una lámina económica de plexiglás de la tienda de arte o el almacén de bricolaje puede servir como placa entintada para hacer grabados.

También puede utilizar los medios en ambas caras para dar sensación de profundidad a sus obras artísticas. Pruebe con el craquelado opaco medio que se menciona en el capítulo 6. Aplíqueselo a una cara del plexiglás, espere a que se seque bien, utilice luego pinturas acrílicas o acuarelas y espere a que la pintura se filtre bien y cubra todas las grietas. En la otra cara, utilice una técnica diferente que no tape completamente la pintura infiltrada.

Para cortar el plexiglás, márquelo bien por un lado con una navaja multiusos y luego pártalo en dos haciendo presión sobre el borde de una mesa dura.

CARTÓN COMPRIMIDO

El cartón comprimido es una cartulina rígida, de color gris o marrón, que cuesta muy poco y que se utiliza para hacer maquetas (prototipos en 3D de los productos acabados) de embalajes y modelos. Se compra en láminas de muy variados tamaños y grosores (1/16-3/16 pulgadas). Debido, precisamente, a esta variedad y a lo baratos que son, los diseñadores simplemente no pueden vivir sin ellos.

¿Esa lámina dura al dorso de su libreta? Eso es cartón comprimido.

Hay versiones más densas y de mayor calidad llamadas tapas duras o pastas duras de encuadernación.

2. Cosas para poner en las superficies

PALETAS

La paleta que yo utilizo es un simple cuadrado grande de plástico con hendiduras para poner los colores y una tapa. Algunos acuarelistas emplean grandes bandejas blancas de carnicería. Lo importante es que haya una zona espaciosa para mezclar los colores (personalmente, encuentro que las paletas pequeñas son muy poco prácticas).

Un resto de pintura de acuarela en una paleta, aunque lleve seco diez años, puede reutilizarse con sólo verter unas gotas de agua sobre él. Parece magia, pero funciona. Así que, cuando no las utilice, deje secar sus paletas.

En el caso de las pinturas acrílicas, utilice paletas desechables y vierta en ellas sólo la cantidad de pintura que vaya a necesitar porque, una vez que se seca, las manchas de pintura acrílica se convierten en pegotes de plástico.

PINCELES

Con las acuarelas recomiendo utilizar, en términos generales, pinceles de cerdas naturales y con los acrílicos, lo mejor es comprar pinceles sintéticos. En el caso de pintar con tinta china o con sustancias bloqueantes/enmascarilladoras, lo ideal son los pinceles específicos para ellas (pregunte en la tienda) y no intercambiarlos.

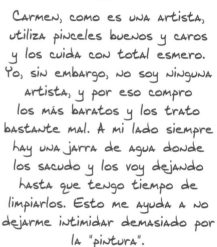

Carmen, como es una artista, utiliza pinceles buenos y caros y los cuida con total esmero. Yo, sin embargo, no soy ninguna artista, y por eso compro los más baratos y los trato bastante mal. A mi lado siempre hay una jarra de agua donde los sacudo y los voy dejando hasta que tengo tiempo de limpiarlos. Esto me ayuda a no dejarme intimidar demasiado por la "pintura".

Darlene McElroy me enseñó a utilizar platos lisos de papel como paletas para las pinturas acrílicas (véase la imagen de fondo de la página de "Materiales" al principio de este libro). Como al secarse se convierten en plástico, se pueden volver a utilizar sin que se mezclen los colores. ¡Y algunos platos acaban siendo auténticas obras de arte!~R

ACUARELAS

Las acuarelas son transparentes y siguen siendo solubles en agua incluso después de secarse. Esto significa que sólo hace falta ponerlas en contacto con un pincel húmedo o añadir una pequeña cantidad a otra acuarela y las dos capas de fundirán. Lo único que se puede pintar con ellas son superficies que no repelan el agua.

Personalmente, prefiero las acuarelas de clase artística Winsor & Newton, con algunos colores Daniel Smith para ya tenerlo todo en el punto justo de equilibrio. Pero las pinturas para principiantes Grumbacher también van bien, sobre todo para crear texturas. Encuentre una buena oferta y abastézcase bien.

Observará que hay colores que cuestan más que otros. Esto se debe a que los pigmentos del azul cobalto son mucho más raros que, por ejemplo, los materiales terrosos que se utilizan para hacer el color tierra sombra tostada. Pero no se puede vivir sin el azul cobalto, así que ponga saldo a la tarjeta Visa.

PINTURAS ACRÍLICAS

Los acrílicos son acuarelas esencialmente opacas contenidas en una emulsión de polímero. Se pueden desleír con agua para que sean menos opacos (pero sin añadir nunca más del 30 por 100 de agua o la pintura no creará una base estable) o diluir con esmaltes líquidos, medios o geles (como se describe en las próximas páginas), lo cual hace que conserven sus propiedades o utilidad durante más tiempo. Los acrílicos se secan muy rápidamente, en apenas 10-15 minutos.

Cuando están secos, son impermeables al agua o a ninguno de los medios o geles. Esto abre la posibilidad de mezclarlo todo (pinturas acrílicas, medios y geles) de formas asombrosas y creativas, así como de añadir pintura acrílica a una variedad mucho más amplia de superficies que en el caso de las acuarelas.

- **Pintura acrílica de textura lisa:** Relativamente densa, casi como espuma. Acabado mate.

- **Pintura acrílica de textura suave:** Parecido a una crema espesa. Apenas deja ver los trazos de pincel. Los colores se secan con un acabado satinado.

- **Pintura acrílica líquida:** Muy líquida con alta concentración de pigmentos. Especialmente adecuada para telas y tejidos.

Se puede cambiar el acabado de cualquier acrílico incorporando un medio o gel apropiado. En muchos proyectos cuyo objetivo final es la digitalización, los acrílicos baratos de las tiendas de artesanía o los almacenes de bricolaje son más que suficientes.

GESSO

El gesso se utiliza tradicionalmente para imprimar sustratos (en sus orígenes contenía cola de piel de conejo), para crear superficies en las que las pinturas al óleo se adhieran mejor y evitar que penetre suciedad o aceites en la capa superficial de pintura al secarse. El gesso acrílico moderno es otro medio de polímero, por lo que combina perfectamente bien con las pinturas acrílicas, permitiendo imprimar casi cualquier clase de sustrato.

Si el aspecto de su obra no le convence, úntele un poco de gesso y vuelva a empezar de cero.

También es muy bueno para añadir textura. Pruebe a aplicarlo con una espátula o una llana.

MEDIOS

El término "medio" suena un poco genérico, pero lo cierto es que es el nombre que aparece en el bote o recipiente que los contiene. Los medios son vertibles.

Las dos clases de medios con los que trabajamos en este libro son los medios mates (que, como su propio nombre indica, proporcionan un acabado mate o sin brillo) y los medios poliméricos (que producen un acabado satinado). Todos son siempre más líquidos que los geles o las pastas.

El fin de los medios es mezclarlos con las pinturas acrílicas para hacerlas más densas, más diluidas o más transparentes, para crear texturas en una página o para mantener las propiedades de la pintura durante más tiempo y poder trabajar mejor con ella (los acrílicos se secan muy rápido).

En el caso de los productos poliméricos, cuanto más brillante es el medio, más transparente. Los acabados mate tienden a ser un poco translúcidos, sobre todo cuando se aplican capas gruesas. Eso no es malo, siempre y cuando lo tenga en cuenta a la hora de elegir los productos con los que quiera trabajar.

MEDIOS GAC

Los medios GAC son las materias primas a partir de las cuales se crean otros medios acrílicos. Son los que contienen menos espesantes y aditivos de otro tipo.

Todos los medios GAC son capaces de modificar las características y el aspecto de las pinturas acrílicas, pero cada uno de una manera específica, así que procure leer bien las etiquetas. Se clasifican por números (100, 200, 900, etc.) y unos sirven para imprimir superficies, otros para endurecer tejidos (para poder esculpirlos) o bastidores entelados (para hacer que sea más fácil pintarlos), aumentar la adherencia de superficies no porosas, incrementar la dureza o la nitidez de la pintura, crear superficies muy brillantes (perfectas para vidriados), mezclar con pinturas acrílicas para que resulten resistentes al lavado, etc.

En los proyectos de este libro no hemos utilizado medios GAC pero, como los verá en la tienda, no hemos querido dejar pasar la oportunidad de hablar de ellos para que los conozca y para que pronto, eso esperamos, empiece a experimentar con ellos.

GELES

Los geles básicos vienen en botes de gel suave, gel regular y gel duro, cada versión está disponible en mate, semi-brillante y brillante. De hecho, hay pinturas acrílicas sin el pigmento. Los geles son untuosos (a diferencia de los medios, que son vertibles).

Utilícelos para crear vidriados (hacer que las pinturas acrílicas se tornen transparentes), texturas, extender la pintura, cambiar el tipo de acabado, transferir imágenes, etc.

En particular, el gel suave brillante es un adhesivo perfecto para los *collages* de papel.

El gel de asfalto transparente es un gel vertible, extremadamente brillante y muy líquido. Rocíelo sobre una superficie pintada y resaltará el brillo de lo que haya debajo.

Los geles con partículas, como pequeñas perlas de vidrio o piedra pómez molida, ofrecen aún más oportunidades para ser creativos.

Todos los medios poliméricos son solubles en agua hasta que se secan. Lave los pinceles con agua y jabón No agite los botes, sacúdalos ligeramente en el momento de añadirles la pintura acrílica.

PASTA DE MODELAR

Es el material que hemos utilizado para crear las fantásticas texturas del capítulo 7. Se trata fundamentalmente de un gel opaco muy pesado que se mezcla con polvo de mármol. Al secarse se vuelve de color blanco (los geles y los medios se vuelven transparentes al secarse). Crean una superficie relativamente lisa, lo que significa que la pintura puede encharcarse.

La pasta de modelar ligera contiene burbujas de aire microscópicas en lugar de polvo de mármol, por lo que es muy ligera y esponjosa. Crea una superficie muy porosa, que hace que la pintura se absorba y penetre de formas muy interesantes.

La pasta de modelar también se puede utilizar para extender la pintura sin añadir transparencia, igual que los geles y medios, aunque tiende a aligerar su consistencia.

MOD PODGE

Mod Podge es el medio de *decoupage* original. Es barato, viene en muchas variedades y se puede utilizar como material sellante, como adhesivo o como capa de acabado (con lijado).

FONDO ABSORBENTE

Se trata de un fondo desarrollado originalmente para un acuarelista que deseaba pintar sobre lienzo. Se puede aplicar a cualquier superficie medianamente pesada para que responda casi como si fuera papel de acuarela. Permite añadir varias capas finas, siempre que espere a que se seque una antes de aplicar la siguiente, para crear texturas.

FONDO DIGITAL

Pinte un fondo digital (blanco o transparente) sobre casi cualquier cosa y después páselo a una impresora de chorro de tinta. Este producto permite imprimir sobre papel de aluminio, pieles acrílicas (pintura vertida sobre una lámina de plástico y luego pelada), papel de estaño, etc.

Pinte sobre el fondo digital, fije la superficie con cinta a un trozo de papel bond e introdúzcalo en una impresora normalita. Puede ver un ejemplo en el capítulo 31.

CONSEJOS

- Compre como mínimo un bote de gel mate o semi-brillante y uno de medio mate, empiece a utilizarlos en sus proyectos artesanos. La única forma de descubrir sus propiedades y ventajas es utilizándolos.

- Todos los productos poliméricos son también adhesivos, así que puede utilizar cualquier gel o medio para pegar papeles y objetos.

- Algunas veces sólo queremos tintar o colorear un proyecto sin oscurecer la textura o la imagen que ya está en la página. Para ello, añada sólo una pequeña cantidad de pintura acrílica al medio o gel. Puede seguir tintando toda la página o una parte de la página, recuperar el tono o dar coherencia a los elementos que contiene (o a unos sí y a otros no) sin oscurecer las texturas o las imágenes.

- Como escaneo la mayoría de mis obras, intento evitar las superficies satinadas que producen los medios brillantes, porque no quiero que se creen "puntos calientes" que puedan provocar reflejos durante la digitalización. Las superficies mates evitan este tipo de reflejos o luces.

- No obstante, tenga en cuenta que cuanto más brillante sea un medio, más transparente se volverá al secarse.

3. Transferencia de imágenes a superficies

Si su intención es crear dibujos hechos a mano de cualquier clase, lo normal es tener que transferir las imágenes elegidas a otros sustratos, como soportes para esgrafiado o bloques de caucho para tallar.

La técnica de este capítulo es bastante rápida y económica, por lo que resulta perfecta para imágenes que tienen el tamaño exacto, al cien por cien, de la obra final. Pero no hay que olvidar que somos diseñadores gráficos y que, una vez que tengamos el producto final, siempre podremos digitalizarlo y reproducirlo al tamaño que queramos.

Para imprimir sobre papel calco, pegue éste con cinta adhesiva transparente a una hoja de papel de impresión; ponga cinta por la parte superior y 5 cm hacia abajo por cada lado, y envíelo a la copiadora o a la impresora.

Para transferir una imagen a una superficie grande, pruebe a proyectarla desde el ordenador con un proyector digital. O bien, hay muchas bibliotecas que siguen teniendo "proyectores opacos". Pida uno prestado y verá lo útil que pueden llegar a ser esos viejos aparatos. Si necesita transferir imágenes ampliadas o reducidas con frecuencia, visite Artograph.com y mire su línea de proyectores artísticos (o cajas de luz). Puede comprar uno muy normalito por apenas 70 euros.

UTILIZAR PAPEL CARBÓN

1. Primero, trace minuciosamente la forma de la letra o la imagen que desee utilizando un bolígrafo de punta fina o un lápiz de color oscuro. Para evitar que el papel calco se mueva o deslice, aplique puntos de elaboración o cinta adhesiva en las esquinas. Si tiene que trazar líneas muy precisas, utilice una caja de luz o pegue la imagen con el papel calco con cinta a una ventana.

2. Una vez que tenga la imagen dibujada en el papel calco, coloque una hoja de papel carbón boca abajo sobre el sustrato (en mi ejemplo, estoy transfiriendo mi imagen a un bloque de caucho para tallar). Ponga la imagen calcada encima y redibuje los trazos presionando con fuerza para que la imagen se transfiera bien al sustrato.

UTILIZAR UN LÁPIZ

1. Dibuje o trace la imagen sobre una hoja de papel calco u otro tipo de papel ligero. Asegúrese de que el trazo esté bien perfilado y oscuro.

3. Dele la vuelta otra al dibujo y coloque con cuidado el lado de los tachones sobre el sustrato que haya elegido. Utilice puntos de elaboración, cinta adhesiva o tiritas (de la farmacia) para que se fije bien.

4. Vuelva a trazar la imagen aplicando presión firme pero no excesiva.

2. Dele la vuelta y tache el dorso del papel con un lápiz blando. Tachónelo todo bien.

5. Levante una esquina del papel calco para comprobar si la imagen se está transfiriendo bien.

Hay imágenes que se pueden planchar sobre algunos sustratos. Algunas imágenes obtenidas de fotocopiadoras o impresoras láser (en lugar de impresoras de chorro de tinta) se pueden transferir a madera, tela, cristal u otras superficies aplicando el calor de una plancha doméstica o una herramienta termofusora (como la de la figura que se muestra a continuación), disponible a la venta en algunas tiendas de bricolaje. ~R

4. Calentar y secar, cortar, marcar y perforar

Muchas de las herramientas que poseo tienen casi treinta años. Cuando una herramienta es buena y se cuida bien, dura para toda la vida. Creo en la conveniencia de comprar herramientas de buena calidad porque facilitan mucho el trabajo y eso se refleja en los resultados. Recuerde, en el mundo del diseño gráfico, el tiempo es dinero (con razón siempre juro por mi Macintosh, porque me puedo fiar de él). Por eso, compro las mejores herramientas y los mejores materiales que me puedo permitir y procuro cuidarlos todo lo que puedo. Los limpio y los conservo en cajas o recipientes de plástico para protegerlos y también para saber dónde están cada vez que los necesito.

Si acaba de empezar, por supuesto que no hace falta que lo tenga "todo". Pero sí es importante que sepa lo que es cada cosa y para qué sirve, de modo que cada vez que necesite un utensilio sepa el aspecto que tiene. Recuerde: cuando invierta en una herramienta buena, trate de encontrar cualquier oportunidad para presumir de ella.

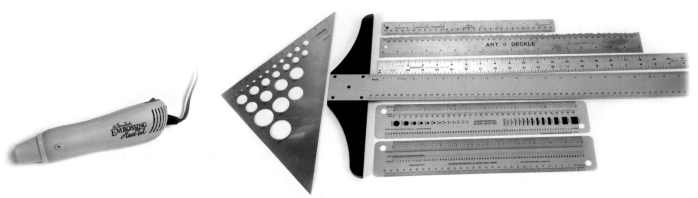

PISTOLA DE CALOR

Sí, ya sé que parece un secador de pelo, pero le aseguro que concentra mucha más calor y expulsa mucho menos aire (así que "no" lo use para secarse el pelo si no quiere que se le queme). Las pistolas de calor son muy prácticas para llevar a cabo un sinfín de tareas manuales. Por ejemplo, sin una no podría dar relieve a los polvos de realce del capítulo 36.

ESTERA DE CORTAR

Si desea saber por qué es importante tener una estera de cortar siempre que se use una herramienta de corte, lea el texto del capítulo 29.

REGLAS METÁLICAS

No hay nada como una regla de 18 pulgadas o 50 cm con la parte posterior de corcho cuando hay que cortar cosas con un cuchillo X-Acto. El corcho cumple dos funciones: por un lado, ayuda a que la regla no se resbale (si utiliza reglas de plástico y el cuchillo está muy afilado, es muy fácil que corte sin querer el filo de la regla y que tenga que acabar tirándola a la basura) y, por otro, eleva el borde de la regla unos milímetros sobre el papel más sensible, protegiendo el también sensible trabajo digital y, en el caso de utilizar tintas, impidiendo que éstas se corran.

Personalmente, utilizo una regla para centrar cuando tengo que montar presentaciones o ciertos elementos de *collage* porque me ayuda a marcar rápidamente el centro de cualquier cosa.

Las reglas de borde biselado son geniales para crear bordes irregulares. Sólo tiene que posarla con presión sobre una hoja de papel y levantar la hoja hacia la regla para rasgarla.

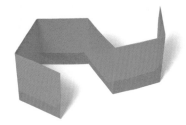

Herramientas para medir

Las reglas de precisión Schaedler son estupendas. Si alguna vez tiene que medir algo tan pequeño como la sexagésimo-cuarta parte de una pulgada, son justo las que necesita, porque las pulgadas, por ejemplo, las cuenta dividiendo cada una en 64 partes. Las marcas van impresas sobre un material altamente estable e incluyen todas las escalas de medida imaginables. Son completamente flexibles, por lo que también sirven para medir el perímetro de las cosas como, por ejemplo, de una lata de bebida. Son muy finas, por lo que las mediciones son absolutamente precisas y no se ven afectadas por el grosor del material del que están hechas. Lo único es que no son baratas (el lote de dos cuesta unos 22 euros), pero son perfectas para medir las cosas con la máxima exactitud.

En los proyectos en los que tengo que encajar maquetas, prefiero utilizar reglas metálicas porque son resistentes a los cortes de cuchillo. Es tan fácil que se resbale el cúter de la mano que prefiero no tentar a la suerte para no destrozar una regla Schaedler con lo que cara que cuesta.

También se puede utilizar una tira de papel y un lápiz como técnica de medición para hallar el centro de algo o para dividir un ancho específico, por ejemplo, en seis partes iguales. Sólo hay que doblar la tira de papel en el número de partes necesario. Al desdoblarlo, los dobleces son las marcas que necesitamos. ¡Tachán tachán! ¡Y sin calculadora!

Herramientas para cortar

Siempre llevo en el monedero un cuchillo X-Acto de color rosa fucsia (todas las cosas que llevo en mi monedero son de color rosa fucsia). ¿Por qué? Pues porque nunca sé cuándo voy a tener que bosquejar algo sin previo aviso y no quiero que nadie me acuse de no estar preparada o de que me falten accesorios.

Una conclusión a la que he llegado a lo largo de los años es que los diseñadores tendemos a ser frugales con los suministros de arte y totalmente indulgentes con la tecnología. En lo que se refiere a la informática, tenemos que tener lo último de lo último, es decir el ordenador más potente y el software más actualizado, pero cuando se trata de comprar hojas de repuesto para nuestras cortadoras nos solemos hacer los remolones. El resultado es que acabamos arruinando sin querer un montón de hojas de papel fotográfico del caro o presentando bocetos de diseño cuya calidad deja mucho que desear, todo por no tomarnos el tiempo de salir a comprar o de cambiar las hojas de nuestro cuchillo X-Acto.

Otro problema de las herramientas de corte es éste: no mande a una niña a hacer el trabajo de una mujer. Es decir, por lo que más quiera, no intente

seccionar una gruesa lámina de cartón comprimido con una hoja de corte delicada del número 11. Haga el favor de ir a la caja de herramientas de su pareja y róbele el cuchillo de cortar yeso o, mejor aún, cómprese uno sólo para usted. De todas formas, no utilice ese mismo cuchillo de uso industrial para cortar una finísima hoja de vitela o acabará con los bordes llenos de dientes y salientes.

Cambie las hojas a menudo.

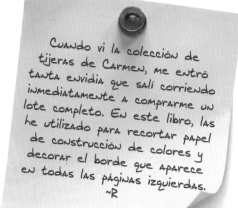

Cuando vi la colección de tijeras de Carmen, me entró tanta envidia que salí corriendo inmediatamente a comprarme un lote completo. En este libro, las he utilizado para recortar papel de construcción de colores y decorar el borde que aparece en todas las páginas izquierdas.
~R

Hay un par de herramientas de corte especializadas que vale la pena mencionar. Una es el cortador circular, muy práctico para recortar etiquetas o pegatinas de envases o embalajes redondos. Martha Stewart y Making Memories son dos marcas excelentes.

Otra herramienta a la que suelo recurrir de vez en cuando es el cuchillo de repujar (véase la siguiente figura). Se trata de una especie de cúter (parecido a un cuchillo X-Acto; de hecho, la marca X-Acto fabrica uno) que gira y permite cortar curvas suaves (si dispone de curvas francesas de las antiguas, utilice ésas como plantillas).

Por supuesto, me encanta mi lote de tijeras de fantasía de hojas diferentes con las que puedo conseguir distintos efectos decorativos y crear papeles con bordes creativos.

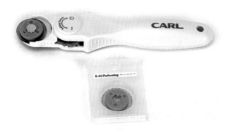

HERRAMIENTAS PARA PERFORAR

Cuando se trata de crear bocetos perfectos (reproducciones físicas en 2D para mostrar al cliente el aspecto final que tendrá el diseño una vez terminado), todo gira en torno a los detalles. Por ejemplo, imagine que tiene que crear un folleto con una sección de ésas que se rasga y se rellena para enviar. ¿No le parece buena idea incluir las marcas de perforación?

Hay una empresa llamada Carl que fabrica unos cortadores rotatorios súper prácticos, que permiten cambiar las hojas con mucha facilidad para crear distintos bordes decorativos, perforar papel, recortarlo o marcarlo.

Yo ya llevo tiempo ahorrando para darme el capricho de comprar el modelo *deluxe* que cuesta más de 200 euros y que es capaz de cortar eficientemente treinta hojas a la vez.

HERRAMIENTAS PARA MARCAR Y DOBLAR

Las herramientas de marcado sirven para doblar objetos de una manera lisa e impecable. Le recomiendo que o bien se procure una buena colección de ellas, porque las va a utilizar bastante, o bien que abra el cajón de la cocina y que saque el rodillo cortapizza.

Personalmente, utilizo bastantes herramientas de marcado porque me gusta hacer coincidir la punta con el tipo de papel que elijo. Por ejemplo, si tengo que doblar una hoja delicada de papel vitela, lo más probable es que emplee una herramienta de repujado con una punta redonda muy fina (los objetos más a la derecha de la figura siguiente). Si tengo que montar la maqueta de una señal grande con cartón comprimido grueso, quizá utilice un alisador con una bola más o menos el tamaño de un guisante en un extremo.

Cuando quiera marcar una zona para doblado fácil, utilice una regla y deslice la herramienta de marcado por la línea exterior del dobLez. Esto doblega ligeramente las fibras, lo suficiente para crear una marca clara de doblado. Una vez doblado el objeto, alise el borde del doblez por la parte de fuera con una plegadera de hueso.

Herramientas para alisar

En la siguiente figura aparecen, de izquierda a derecha, un rodillo entintador, una plegadera de hueso y un frotador. También puede utilizar el dorso de una de esos cucharones de metal de cocina, grande o pequeño, dependiendo de sus necesidades. Es buena idea tener a mano siempre una herramienta alisadora de verdad, como las tres que tienen el mango de color en la figura.

Con ellas, puede allanar esos bordes que se empeñan en ponerse de punta en ese *collage* que tiene digitalizar, puede fijar bien el producto digital sobre el soporte de embalaje y transferir la tinta de su linograbado o monoimpresión al papel.

Con las herramientas de alisado volverá a disfrutar de la vida, pues el cielo sabe las horas y horas de nuestras vidas que debemos dedicar los diseñadores gráficos a arreglar cosas en Photoshop. No tendríamos que pasar tanto tiempo retocando imágenes si los originales fueran objetos hechos a mano de alta calidad.

5. Adhesivos y pegamentos

Adhesivos. La propia palabra provoca que más de un diseñador digital sufra un ataque de pánico. Sólo el pensamiento de que algo pegajoso se acerque a uno de sus preciosos proyectos digitales es suficiente para crisparles los nervios y, por eso, prefieren entregar a sus clientes impresiones en frágiles papeles fotográficos o hacer que éstos se dejen la vista mirando documentos de Illustrator en la pequeña pantalla de un ordenador portátil de 13 pulgadas antes que generar un boceto perfecto. Luego se preguntarán que por qué les cuesta tanto vender sus ideas.

Saque fuerzas de flaqueza, respire profundamente y enfréntese a sus miedos: saque el cuchillo X-Acto, varios tipos de adhesivos y monte sus presentaciones, construya un elegante prototipo artesano o encaje las piezas de un dibujo original. Entregar maquetas bien encoladas o bocetos diseñados hasta el más mínimo detalle hace que los proyectos aparezcan como más "reales" a los ojos de muchos clientes y les convencen para comprarlos.

MÁQUINAS XYRON

Es uno de los productos mimados del gremio de personas dedicadas a la creación de álbumes de recortes porque permite crear pegatinas, etiquetas, imanes, etc., así como plastificar cualquier diseño digital u hoja de papel decorativo. Es un pequeño aparato con un rodillo que va girando y extendiendo una fina película de adhesivo sobre cualquier material que se le introduzca.

Me gusta porque me libra de esa nube de espray adhesivo que acaba flotando alrededor y ensuciándolo todo. El adhesivo Xyron es muy ligero y no deja esos grumos o bultos que afean las láminas de diseño digital algunas veces y que son típicos de las salpicaduras de los adhesivos en aerosol o del pegamento si no se unta de manera uniforme.

Comprar un equipo Xyron no es caro, todo hay que decirlo. La unidad para papel de 8,5 x 11 pulgadas (215,9 x 279,4 mm) cuesta unos 100 euros y cada cartucho cuesta alrededor de 30 euros. Pero vale la pena gastarse el dinero porque el ahorro es mucho más cuando no estropeo impresiones, no respiro adhesivos suspendidos en el aire o no me encuentro a mi perrillo Zinnie con unas enormes pelusas de polvo pegadas a las orejas.

PISTOLA DE PEGAMENTO CALIENTE

Hemos de dar las gracias a artesanos y carpinteros por sugerirnos esta herramienta tan práctica, que se puede comprar en todos los colores, tamaños y temperaturas. Personalmente, la suelo utilizar para crear dibujos con objetos reciclados que voy encontrando por ahí. Me gustan las temperaturas más calientes porque el adhesivo pega mejor y no queda tan viscoso. Pero más de una vez me he quemado uno o varios dedos intentando unir algún objeto maravilloso, así que procure tener cuidado. De todos modos, si alguna vez tiene que depositar algo realmente diminuto en una posición inestable o precaria y necesita pegarlo fijo "YA", no hay nada mejor que una pistola de pegamento caliente para hacer un trabajo instantáneo y perfecto.

Pero no la use con arcilla polimérica (consulte el capítulo 5 para ver qué adhesivos puede utilizar con la arcilla cocida).

ADHESIVO SECO STUDIOTAC

Este producto mágico debería ser indispensable en la caja de herramientas de cualquier diseñador: es portátil, fácil de guardar y muy sencillo de utilizar. Básicamente, StudioTac son unas hojas que llevan adheridos de forma temporalmente unos puntos adhesivos de pequeño tamaño. Se transfieren al papel o a materiales relativamente planos para que se peguen utilizando una herramienta alisadora. Funciona especialmente bien para incorporar objetos pequeños a los *collages*.

StudioTac está disponible en versiones permanentes o de bajo poder de adhesión. El modelo de baja adhesión es genial cuando se quiere hacer algo como montar un objeto sobre una cartulina de presentación, que luego hay que transferir a una página de portafolio. Tan fácil como suena.

> Los geles o medios poliméricos (véase el capítulo 1), incluida la pintura acrílica, también son pegamentos que se tornan insolubles al agua cuando se secan.

PEGAMENTO DE HULE Y APLICADOR

He utilizado litros y litros de pegamento de hule en mi vida. Era el adhesivo por excelencia junto con la cera caliente cuando había que crear "tablas" en los tiempos en que aún nadie había oído hablar de los ordenadores. Ahora ya no lo uso porque he descubierto otros productos que tienen un olor mucho menos intenso. De todos modos, el pegamento de hule tiene ciertas virtudes como, por ejemplo, que concede un tiempo para mover las cosas de sitio antes de secarse del todo y que no arruga el papel.

Es importante invertir también en productos disolventes cuando compre este tipo de pegamentos. Las sustancias químicas que contienen se disipan rápidamente, dejando un pegote gordo de goma que es imposible de extender para obtener una película fina y uniforme. Tenga siempre un bote de disolvente a mano para mezclarlo cuando las cosas empiecen a ponerse un poco pegajosas.

Procúrese un aplicador de pegamento de hule (como el que se muestra en la figura 5.5 y en el capítulo 22) para eliminar los pegotes sobrantes.

ADHESIVO QUITA Y PON EASY-TACK

Se trata de un adhesivo de quita y pon en formato de aerosol y de baja adhesión de la marca Krylon. Utilícelo siempre que necesite pegar algo de forma temporal.

Yo lo uso para montar diseños en mi portafolio y también cuando imprimo pantallas para mantener un registro de las cosas.

El término inglés "tack" hace referencia a lo mucho o poco pegajoso que es algo.

ADHESIVO EN AEROSOL SPRAY MOUNT

Este espray adhesivo es menos pegajoso que el Super 77 y por eso es perfecto para la mayoría de las tareas normales de montaje de papel.

Para crear un vínculo muy fuerte, pulverice las dos superficies que desee pegar, déjelas secar y luego junte la una con la otra. Es importante asegurarse de juntarlas bien la primera vez porque una vez pegadas ya no hay marcha atrás. Esta doble unión es más sólida que un imán potente.

ADHESIVO MULTIUSOS SUPER 77

Es el espray adhesivo de uso industrial que se utilizaría para fijar la moqueta al suelo, el que aplicaríamos para unir dos cosas que nunca más querremos separar.

Asegúrese de mantener la boquilla siempre limpia: cuando termine de pegar lo que tenga que pegar, ponga el bote boca abajo y deje gotear el producto sobre una toallita de papel.

ADHESIVO PLÁSTICO UHU TAC

¿Se acuerda de cuando colgábamos pósteres de nuestros cantantes favoritos por las paredes? Entonces utilizábamos un tipo de masilla blanca pegajosa.

Pues bien, UHU Tac es justo ese producto, un adhesivo no permanente que sirve para pegar los elementos de un *collage* o los de una ilustración hecha de objetos reciclados, sin compromiso a nada. Como bien sabemos, nuestros queridos clientes suelen ser un poco maniáticos con el tema de los compromisos.

PASTA YES!

Es uno de los pegamentos más simples que existen y uno de los favoritos de los artistas del *collage* durante años. Es muy discreto cuando se aplica bien. No se amarillea ni se desintegra y se adhiere perfectamente.

Pero la pasta Yes! no es para nada fácil de aplicar. Requiere un trozo de papel y una herramienta tipo rasqueta (un pequeño rectángulo de una estera vieja, una herramienta para yeso de plástico o una espátula de la ferretería) para aplicar la pasta. Los pinceles no van bien con la pasta Yes! porque cuando el papel es muy fino las marcas de las pinceladas se transparentan.

Asegúrese de cerrar bien el bote después de usarlo porque si en algún momento llega a secarse, aunque sea un poco, se vuelve grumoso y ya resulta casi imposible extenderlo uniformemente.

Lo ideal sería poder comprar recipientes más pequeños de este magnífico producto. Mis alumnos palidecen ante la idea de tener que pagar 12 euros por un bote, sobre todo teniendo en cuenta lo rápidamente que se seca.

PASTA NORI DE LA MARCA YASUTOMO

Una buena alternativa a la pasta Yes!, porque viene en cantidades más pequeñas, es más líquido y cuesta casi nada. Personalmente, prefiero la pasta Yes! porque no me gusta la textura jugosa de la pasta Nori, pero no dudo de su eficacia y de su sencillez, sobre todo para los *collages*. En particular, funciona especialmente bien con los papeles más delicados.

COLA DE ENCUADERNAR

El acetato de polivinilo (PVA) es uno de los adhesivos "blancos" de calidad de archivo que tienen a su alcance los diseñadores. Es el pegamento que utilizamos para las cosas que queremos usar una y otra vez sin que se despeguen, por ejemplo los libros. También lo uso para mis grandes prototipos de embalaje y mis maquetas tipo *pop-up* cuando necesito una unión especialmente sólida. El PVA no se seca instantáneamente pero pega con firmeza. En el caso de los embalajes, utilice pinzas de la ropa para mantener los bordes juntos y déjelos secar durante varias horas. En el caso de los libros, asegúrese de que no rezume nada de pegamento para que las páginas no se queden pegadas.

PEGAMENTO TACKY DE LA MARCA ALEENE

Otro de los pegamentos blancos, resistentes y de calidad archivo favoritos de los diseñadores digitales. En general, es más espeso que la cola de encuadernar y tarda menos tiempo en secarse.

Personalmente, prefiero el PVA porque es más líquido y suave. De todos modos, el pegamento Tacky es un producto muy eficaz cuando se aplica con cuidado para esos momentos en los que no disponemos de mucho tiempo y no podemos esperar demasiado a que las cosas se peguen. Aplíquelo con una rasqueta para evitar grumos y pegotes.

La marca Aleene tiene una gran variedad de productos adhesivos para infinidad de tipos de proyectos distintos.

ADHESIVOS DE CONTACTO AMAZING GOOP, AMAZING E-6000 Y OTROS PEGAMENTOS DE CONTACTO

Son los adhesivos que más utilizo con mis esculturas y montajes de arcilla. Son pegamentos de uso industrial que algunas personas me han pasado (como la silicona) y que se secan a una velocidad vertiginosa.

Cuando se pegan materiales rígidos y fáciles de romper como las arcillas poliméricas cocidas, es necesario dejar un poco de flexibilidad entre los componentes de la obra para que no se quiebren al ejercer presión sobre ellos. La forma de secarse de Amazing E-6000, Amazing Goop y de otros pegamentos de contacto es como esponjosa, lo que permite modificar sin romper, mientras que el pegamento de una pistola caliente o el pegamento instantáneo Instant Krazy son quebradizos y no admiten cambios.

Utilice E-6000 o Amazing Goop cuando monte esculturas de arcilla o cuando incorpore elementos en 3D a algo como una composición sobre lienzo.

GOO GONE, LÁPIZ QUITA ADHESIVO 3M Y TOALLITAS HÚMEDAS QUITA PEGAMENTO GUNK & GOO

Son productos eficaces para eliminar los residuos pegajosos de los dedos, los objetos, los bordes de las cosas y las herramientas. Yo utilizo Goo Gone para quitar los restos de adhesivo de las etiquetas de vino, por ejemplo, cuando quiero elaborar prototipo con botellas.

De todos modos, si en algún momento provoca, sin querer, un desastre con el pegamento, lo mejor es que empiece de cero, ya que estos productos suelen ensuciar más y dejar más manchas residuales que el adhesivo original. Los productos que aquí propongo son para limpiar cosas pequeñas, no para arreglar el mundo.

Texturizado de superficies

Una de las grandes contribuciones del diseño artesano son las texturas. Me encantan las texturas. Me encanta la sensación de tocar el papel, las paredes, las piedras, la arena, los tejidos, los dulces, los animales y las esculturas. No sólo me gusta tocarlas, también me gusta mirarlas. Las texturas aportan a las obras en 2D una sensación como de dimensión perceptible que atrae la atención del público hacia ellas. Es la forma más rápida y más sencilla de dar un toque de humanidad a los diseños digitales.

Desde aquí, le animo a leer acerca de ellas, a experimentar con ellas, a tomar notas y a crear sus propias texturas artesanas únicas, para luego digitalizarlas, transferirlas al ordenador e incorporarlas a sus trabajos de diseño gráfico, o bien reunirlas todas primero en un collage antes de escanear la obra completa. No se imagina lo gratificante que es ensuciarse las manos de esta forma.

Texturas

Los fondos que contienen alguna forma de textura añaden profundidad y riqueza a los trabajos digitales.

6. CRAQUELADOS

¿Le gusta ese efecto envejecido de la pintura craquelada? Crearlo sólo tarda unos minutos y aporta madurez a una obra de diseño.

7. TEXTURAS CON PASTA DE MODELAR

Las pastas y geles de modelar son básicamente pinturas acrílicas sin pigmentos. Aplíquelas a todo tipo de superficies y fúndalas con otros elementos peinando, rayando, arremolinando o cepillando los compuestos resultantes para crear una gran variedad de efectos de texturas.

8. PÁTINAS

Una pátina es una alteración adquirida del aspecto de una superficie, casi siempre como consecuencia del paso del tiempo o de las condiciones meteorológicas. Es un efecto que se puede fingir para un proyecto.

9. EFECTO DE PINTURA DESCASCARILLADA

El aspecto de la pintura descascarillada añade la sensación de antigüedad a los objetos modernos.

10. FROTAR Y TRAPEAR

Frotar pintura de un tono más oscuro sobre zonas más texturizadas de una obra aumenta la sensación de que su contenido se puede tocar.

Este folleto de media cuartilla sin un fondo de textura artesana está bien.

Si le ponemos textura, no sólo se enriquece su contenido a la vista, sino que añadimos ese toque especial de humanidad.

11. TINTAS AL ALCOHOL

En superficies no porosas, cree texturas ricas y moteadas con tintas a base de alcohol. Ni los menos dotados artísticamente pueden hacer algo mal con este medio.

13. MONOIMPRESIONES

Cree texturas únicas y llenas de vida utilizando tinta y cristal a la vez.

12. FONDO ABSORBENTE Y PAPEL WASHI

Utilice papeles japoneses y medios gelatinosos para crear texturas que se puedan tocar.

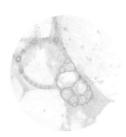

14. TEXTURA DE BURBUJAS

Ahora ya tiene una excusa de persona adulta para jugar con las burbujas de plástico: las necesita para su proyecto de diseño.

6. Craquelados

Es posible y bastante fácil simular el efecto de la madera envejecida o el raku (craquelado) en las superficies cerámicas gracias a una variedad de craqueladores. Algunos crean grietas muy sutiles como las de las cáscaras de huevo, mientras que otros proporcionan texturas parecidas al de la madera de establo desmenuzada. He probado toda clase de productos y he conseguido resultados bastante decentes, a veces incluso extraordinarios, con muchos de ellos. Todo depende de cómo se sequen los materiales.

El proceso básico del craquelado consiste en utilizar dos medios húmedos con tiempos de secado diferentes y colocarlos uno encima del otro. Los craqueladores se pueden comprar en las tiendas de arte o de manualidades y en algunas ferreterías. Cada marca tiene sus propias instrucciones, así que asegúrese de leer bien las etiquetas y de seguirlas al pie de la letra. Le recomiendo que pruebe varios antes de comprometerse con ninguno.

CRAQUELADOR TRANSPARENTE

Esta técnica utiliza un líquido translúcido para craquelar. Si lo que busca es una textura fragmentada relativamente sutil, asegúrese de extender la pintura siempre en la misma dirección aplicando pinceladas largas. Cuanto más grueso se pinta, más grandes son las grietas. Las instrucciones que siguen son específicas para la marca que yo utilizo, Village Folk Art. Si compra otra, procure leer bien las directrices y sígalas al dedillo.

1. Con pintura acrílica, pinte un área del sustrato que haya elegido y espere a que se seque completamente.

2. Pinte sobre el primer color con el craquelador que haya decidido comprar y espere a que se seque.

3. Pinte sobre el craquelador con el otro color de pintura acrílica.

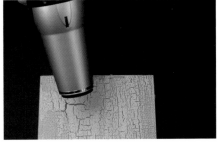

4. Deje el sustrato al aire para que se seque o utilice un secador. Las grietas irán apareciendo ante sus ojos.

Kaitlin Glass ha utilizado una textura craquelada para añadir interés visual a la cubierta de esta carta de menú.

PASTA CRAQUELADORA OPACA

El medio que en la etiqueta pone "pasta craqueladora" es un material denso y "opaco" que al secarse crea una especie de fisuras profundas. Permite seguir aplicando capas hasta una pulgada de grosor. Al igual que las pastas de modelar del capítulo 4, permite seguir pintando encima después de secarse (lo cual puede tardar hasta tres días si las capas son muy gruesas). También se puede tintar con pinturas acrílicas antes de extenderla sobre el sustrato e incluso pintarla después.

Como es un medio pastoso, lo mejor es utilizar un soporte rígido; es bastante frágil cuando se seca, así que aplique siempre una capa o dos de polímero para protegerlo.

CRAQUELADOR TRANSPARENTE CON COLA GLUE-ALL DE LA MARCA ELMER

Utilice como medio craquelador el producto Glue-All de la marca Elmer (cola blanca doméstica básica). Puede que no le resulte tan elegante, pero le aseguro que las texturas que se obtienen con él son bastante interesantes. Cuanto más denso es el pegamento y cuanta menos pintura, más grandes las grietas. Pruébelo sobre la página de texto de una revista o un libro viejo y observará cómo el texto se transparenta a través del papel. Extienda la pintura en varias direcciones para revelar diferentes texturas craqueladas.

1. Vierta un poco de cola Elmer y extiéndala por la página con un pincel.

2. Antes de que la cola se seque, introduzca el pincel en pintura acrílica y pinte encima. Cuanta menos pintura utilice, más podrá ver de la página de debajo. Si pinta en distintas direcciones, obtendrá distintos patrones de craquelado.

   Si la página de debajo tiene texto, pinte en la dirección del texto para que se transparente un poco por las grietas.

3. Sea paciente y espere a que se seque. Poco a poco irán apareciendo las grietas. Si no puede esperar, utilice una pistola de aire caliente o un secador.

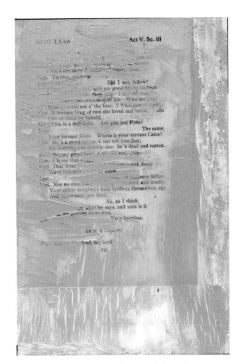

Para este trabajo utilicé una página de un viejo libro medio roto que tenía de Shakespeare y la pegué sobre una hoja de lienzo pequeña extraída de un bloc de lienzos. Luego apliqué Mod Podge del barato para pegar la página sobre el lienzo y pintar sobre el papel para sellarlo (si quiere, también puede utilizar, por supuesto, un medio mate,un polímero o cualquier clase de gel). Al secarse, utilicé cola Elmer y pintura acrílica para crear un fondo craquelado y decrépito. Por último, hice un collage sencillo sobre la página y lo utilicé como base para la cubierta de un programa.
~R

7. Texturas con pasta de modelar

Las pastas de modelar vienen en pesos diferentes y cada una tiene sus propios requisitos e instrucciones de aplicación. Algunas presentan una consistencia parecida a la gelatina y otras son como una especie de crema o de gel espeso.

Se pueden aplicar a una gran variedad de superficies, tales como el lienzo, el cartón Bristol, el cartón de ilustración, el papel de acuarela grueso, el masonite, es decir, a cualquier material recio.

Una vez extendida y antes de que se seque, la pasta de modelar es fácil de peinar, rayar, arremolinar o cepillar de forma combinada con otras sustancias para crear una gran variedad de efectos de texturas. Cuando se seca, se puede pintar sobre ella, cubrir con una superficie metálica (véase el capítulo 8), rociar con aerosol, restregar color por encima, lijarla, esculpirla y muchas cosas más.

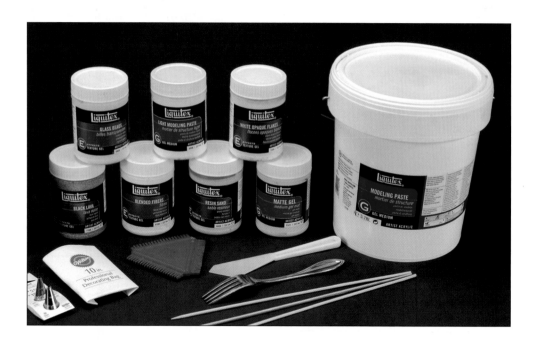

ACERCA DE LAS PASTAS DE MODELAR

Las pastas de modelar son "opacas", así que no se prive de añadir cuanta pintura acrílica desee para teñirla de bonitos tonos pastel.

Si su superficie no es muy rígida, la pasta de modelar ligera funciona mejor que la pasta normal o pesada. Las normales tienen cierta tendencia a agrietarse cuando el sustrato es demasiado endeble o se aplica demasiada cantidad (a veces, el resultado es un efecto muy interesante, así que experimente todo lo que quiera).

Las pastas de modelar ligeras y las pastas de yeso son absorbentes, lo que significa que si utiliza medios solubles con ellas (acuarelas o pinturas acrílicas), acabarán penetrando en la textura. Por su parte, las pastas de modelar pesadas son no-absorbentes, por lo que la pintura quedará asentada sobre ellas. En breve, le enseñaré a trabajar con ambos tipos.

Hay otros medios no-absorbentes que se pueden utilizar. Son las pinturas acrílicas pastosas, los gessos acrílicos y los geles duros, todos vienen en formato opaco o transparente (consulte el capítulo 2 para información más detallada sobre estos productos).

Algunas de estas pastas y geles tienen partículas como perlas de vidrio, fibras, roca volcánica molida, arena, etc., integrados en la masa. Estos corpúsculos reaccionan a veces con la siguiente capa de pintura de formas muy interesantes.

También puede utilizar algunos de los productos más líquidos (como el medio mate o el gel de asfalto transparente; de nuevo, consulte el capítulo 2) para crear texturas con goteo, salpicaduras y filtraciones sobre el sustrato y obtener efectos gestuales.

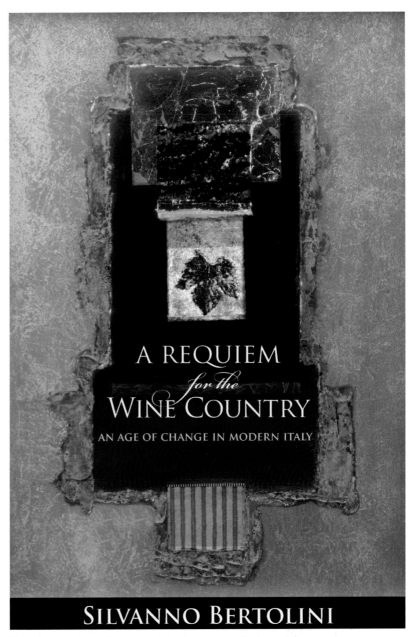

Esta obra emplea varias capas de texturas con pasta de modelar.

PASTA DE MODELAR

Recuerde que las pastas de modelar flexibles o ligeras funcionan mejor sobre sustratos de peso liviano. Si prefiere utilizar una pasta más pesada, elija un lienzo, una tablilla artística u otro soporte rígido.

> Asegúrese de cerrar bien herméticamente los botes. Este material se seca muy rápidamente y no es barato.

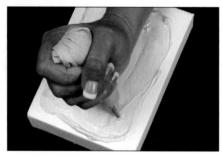

1. Abra el bote. Con una espátula, extraiga un pegote bien grueso de pasta de modelar (u otro medio que tenga a mano).

2. Extienda la pasta con la espátula o con una esponja hasta que consiga el aspecto o la sensación que persigue. Comprobará que es como untar gelatina o yeso. He llegado incluso a utilizar mis utensilios de decorar tartas (como puede ver en la figura 7.4) para crear puntos o líneas en la superficie (compre un lote para dedicar sólo y exclusivamente a sus trabajos artísticos. No vaya a utilizar con polímeros las mismas herramientas que para repostería. Otra posibilidad es coger un sobre o una bolsa de plástico y cortarle una esquina o enrollar un papel encerado como si fuera un cono).

3. Arañe la pasta con palillos, tenedores, peines, herramientas de jardín, etc. Como la pasta de modelar tiene una base de polímero, se comporta como si fuera un adhesivo, por lo que puede pegar cosas con ella y no se moverán. Experimente con las mil y unas posibilidades que ofrece.

Una obra texturizada puede servir como base para la aplicación de otras técnicas. Píntela, escúlpala, líjela, etc. En la obra que aparece en la imagen de la izquierda, he aplicado un color metálico y frotado pintura oscura en los huecos para resaltar la textura (véase el capítulo 10).

PRUEBE ESTO

He aquí algunas técnicas más que puede probar con la pasta de modelar.

- Extienda el medio sobre una superficie pintada. Utilizando cualquier clase de herramienta de punta afilada, una llave de hotel o una tarjeta de crédito vieja, raye la pasta de modelar para revelar la superficie pintada.

- Extienda una fina capa de pasta de modelar sobre una superficie. Luego, meta dentro un esténcil, un sello simple o un papel de pared texturizado.

- Coloque un esténcil sobre una superficie pintada (o adhiéralo ligeramente con Easy-Tack; consulte el capítulo 5). Con una paleta o una espátula, cubra los huecos vacíos del esténcil con pasta de modelar.

- No se limite a texturizar superficies planas. Anímese a aplicar pasta de modelar a toda clase de cosas e incorpórelas a sus proyectos digitales.

Para esta postal de anuncio de la inauguración de la galería de Janice, he creado un fondo con pasta de modelar que armonizase con el aspecto antiguo de sus cuencos de güira pintados. Primero, creé la letra G de la galería con una técnica de pincel seco (que consiste en mojar un pincel seco en acuarela y pintar con él sobre papel seco). La G es negra, pero una vez transferida a un documento de InDesign, le apliqué el efecto Superponer de la paleta Efectos.

Estos botes decorados tienen una capa de pasta de modelar y varias de pintura trapeada que los hacen más atractivos e interesantes.

8. Pátinas

Una pátina es ese precioso tono que adquieren muchas cosas con la edad, esa especie de película verdosa que cubre el cobre o el bronce cuando se oxidan, ese brillo vivo de la madera pulida antigua o la belleza madura de las mujeres mayores (según las propias Robin y Carmen).

La buena noticia es que no hace falta esperar años a obtener ese efecto pátina que necesitamos para un proyecto concreto. De hecho, se puede aplicar a una obra moderna de metal siempre y cuando el metal no se haya sellado (si piensa que tiene sello, retírelo primero con un diluyente de laca). También es posible crear una superficie metalizada falsa utilizando una pintura metálica (como se explica un poco más adelante), del tipo que fabrican las marcas Sophisticated Finishes o Modern Optics Metallic Surfacers, o bien emplear un superficie laminada con una capa metalizada.

APLICACIÓN DE PÁTINAS

En las tiendas de arte o de manualidades se pueden comprar planchas finas de metales artísticos para grabar, por ejemplo, diseños en el metal con una pluma o un objeto puntiagudo antes de aplicar la pátina.

Para demostrar el efecto de pátina en un proyecto, he escogido esta pequeña obra de cobre y la he repujado con una herramienta de repujado barata. ~R

Pero, si va a trabajar con una superficie de metal falsa, lo mejor es partir de un sustrato base bien rígido como el cartón Bristol, el cartón de ilustración, un papel de acuarela grueso o incluso un lienzo, a fin de no terminar con el proyecto totalmente arrugado por culpa de la humedad del medio.

Cuando la base ya está seca, la capa de pátina ácida decolora la superficie proporcionando imprevisibles efectos de metal a los elementos. Es probable que haya que esperar horas, incluso toda la noche, para que la pátina haga su magia, así que no aguante la respiración. Haga una prueba antes de aplicársela a su obra original.

El paso 1 es para crear una superficie metálica falsa, así que si su sustrato es una plancha metálica de verdad o una base con laminado metálico, salte directamente al paso 2.

1. Para crear una superficie de metal falsa a partir de otro sustrato, necesita un producto llamado pintura metálica a la venta en cualquier tienda de arte o de manualidades. Pinte una zona con ella y espere a que se seque. Si es tan impaciente como yo, utilice un secador artístico o de pelo para acelerar el proceso.

    En este ejemplo, he utilizado una textura creada previamente con pasta acrílica, tal y como describo en el capítulo 7, y la he cubierto con un producto de oro metalizado llamado Gold Metallic Surfacer de la marca Sophisticated Finishes.

2. Cuando el metal está limpio o la pintura metálica está seca, pinte con la pátina. Agite bien la botella, ya que los cristales de ácido a veces se depositan en el fondo y es importante que se mezcle todo bien para que funcione.

    En la figura 8.5 se ve cómo aplico la pátina a un lienzo que previamente he cubierto con color oro metalizado.

3. Pinte con la pátina toda la superficie o sólo la parte que desee decolorar.

Al principio el resultado quizá le decepcione un poco, pero váyase a dormir. Verá mañana qué cambio. Parte del encanto de este producto es su imprevisibilidad, así que déjelo actuar.

Un poco de pátina en este collage-acuarela le añade un toque orgánico.

Tiras extraídas de la textura de esta cubierta sirven para diseñar las divisiones interiores de este pequeño folleto desplegable.

VERDIGRIS
where the old becomes new

ABOUT US

Quia voluptatus inci dolupti usdam, simi, as ditiatur auda sum, omnist volupta cusae laut quamus aut quam vero et, con re, simus nihitat laudios molupta sequo iunt is pliti cuptum in nobis ut vere elio beatiur, omnimaximust liquae vel es denis sandis ario officab il idescidipsus doluptasi doluptatur sectatem laboritis sequossimint alis aut.

- Sed quo maximin nus.
- Gendant ullabor ernatur repudam, aut il ea dolor reris natures dendis necaecu lparibus pro maio.
- Eces ut dolupid estiatis mos eum res nest aliberrovide voloreperum voluptatum eos dolum qui ut assum.

FURNITURE

Aut quam vero et, con re, simus quia voluptatus inci dolupti usdam, simi, as ditiatur auda sum, omnist volupta cusae laut quamus aut quam vero et, con re, simus nihitat laudios molupta sequo iunt is pliti cuptum in nobis ut vere elio beatiur, omni maximust. Liquae vel es denis sandis ario officab il idescidipsus doluptasi.

- Dolor reris natures dendis necaecu lparibus pro.
- Maximin nusendant ullabor ernatur repudam, aut il ea dolor.
- Estiatis mos eum res nest. Aliberrovide voloreperum voluptatum.

LIGHTING

Voluptatus inci dolupti usdam, simi, as ditiatur auda sum, omnist volupta cusae laut quamus aut quam vero et. Con re simus nihitat laudios molupta sequo iunt is pliti cuptum in nobis ut vere elio. Beatiur, omnimaximust liquae vel es denis.

- Quo maximin nussed.
- Maio pendant ullabor ernatur repudam, aut il ea dolor reris natures dendis necaecu lparibus pro. Eces ut dolupid estiatis mos eum res nest aliberrovide voloreperum voluptatum eos dolum qui ut assum.

ART

Nobis wuia voluptatus inci dolupti usdam, simi, as ditiatur auda sum, omnist volupta cusae laut quamus aut quam vero et, con re, simus nihitat laudios molupta sequo iunt is pliti cuptum in ut vere elio beatiur, omnimaximust liquae vel es denis sandis ario officab il idescidipsus doluptasi doluptatur sectatem laboritis sequossimint alis aut. Sed quo maximin nus es denis sandis ario officab.

- Gendant ullabor ernatur repudam, aut il ea dolor reris natures dendis necaecu lparibus pro maio.
- Eces ut dolupid estiatis mos eum res nest aliberrovide voloreperum voluptatum eos dolum qui ut assum.

CLOTHES

Molupta buia voluptatus inci dolupti usdam, simi, as ditiatur auda sum, omnist volupta cusae laut quamus aut quam vero et, con re, simus nihitat laudios sequo iunt is pliti cuptum in nobis ut vere elio beatiur, omni maximust liquae vel es denis sandis ario officab il idescidipsus doluptasi doluptatur sectatem laboritis sequossimint alis aut.

- Eces ut dolupid estiatis mos eum res nest aliberrovide voloreperum voluptatum eos dolum qui ut assum.
- Read quo nus maximin.
- Ullabor ernatur repudam, aut il ea dolor reris natures dendis necaecu pro maio.

SHOES

Simi as ditiatur auda sum, omnist volupta cusae laut quamus aut quam vero et, con re, simus. Nihitat laudios molupta sequo iunt is pliti cuptum in nobis ut vere elio beatiur, omni maximust liquae vel es denis. Sandis ario officab il ides cidipsus dolup tasi dolup tatur sectatem laboritis sequossimint.

- Sequessimint alis aut res.
- Ernatur repudam, aut il ea dolor reris natures dendis lparibus pro necaecu.
- Dolupid estiatis mos eum res nest.

BOOKS

Laut quamus aut quam vero et laudios. Molupta sequo iunt vere elio beatiur, omni mat sandis ario officab il idesc sectat em laboritis sequossi

- Omni maximust Sedera quo ge
- Qematur repud natures necain
- Voluptat amc eum res nest eos dolum qui

the patina of marriage
a discussion of the weathering process

documentary and talk

9. Efecto de pintura descascarillada

Esta técnica sirve para conseguir el efecto de la pintura vieja descascarillada. Tome como base una imagen pintada por usted o realizada en técnica de decoupage sobre una superficie rígida como un lienzo, un cartón Bristol o un cartón de ilustración, y simplemente aplíquele capas de vaselina y pintura acrílica para dotarla de ese aire antiguo o mugriento que persigue para su obra.

Para la técnica de decoupage, sólo necesita un bote de gel (consulte el capítulo 2) de una tienda de arte o Mod Podge de un almacén de bricolaje. Pegue con él las imágenes sobre el sustrato y luego aplique varias capas de gel por encima de la imagen para que quede todo bien sellado (cada vez que aplique una capa, déjela secar antes de aplicar la siguiente).

"No tenía vaselina á mano así que probé con Vick's VapoRub para crear la obra de la figura 9.1 y el resultado me encanta". ~R

PELAR PINTURA

Un paso importante de esta técnica consiste en crear un fondo resistente que no se desintegre al mojarse o al frotarlo con un medio húmedo. Una posibilidad es utilizar un tipo de papel como el cartón Bristol, pero yo no me arriesgaría y apostaría por algo más recio. En este ejemplo he utilizado cartón lienzo.

1. Pulverice con pintura un color de fondo sobre el sustrato o aplíquele una capa de acrílico.

2. Importante: dado que esta obra se va a lavar luego con agua, proteja el fondo que acaba de crear con una capa de polímero (que es brillante), medio mate, gel (varios acabados) o Mod Podge (todo tipo de acabados) y espere a que se seque completamente.

3. Tome una imagen, una fotografía o una impresión digital de un *collage* que haya hecho (con sus manos, por supuesto) y utilice el medio que elija para pegarla sobre el sustrato.

4. Selle toda la obra con el medio. Si tiene prisa, utilice una pistola de aire caliente para acelerar el proceso de secado.

Louise Brooks es un icono del siglo 20. Su pelo es su marca. Su distintas holandés Bob enmarca un rostro de asombrosa belleza. Feria de piel y pecoso, Brooks apareció en la película como algo casi luminoso. Su pelo negro liso—el famoso "casco negro"— se define como un rostro atractivo y enigmático.

Irónicamente, Louise Brooks es tal vez menos recordado por lo que era, un talento actriz. Entre 1925 y 1938, ella apareció en 24 películas. Al principio, ella trabajó con directores de Malcolm St. Clair, Eddie Sutherland, William Wellman y Howard Hawks en películas como el antiguo *Ejército de juego* (con W.C. Fields, en 1926), *Los mendigos de la Vida* (con

por María Ortiz

Emily Roberts diseñó esta página de revista con un collage cuyo fondo es una superficie de pintura pelada.

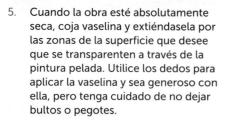

5. Cuando la obra esté absolutamente seca, coja vaselina y extiéndasela por las zonas de la superficie que desee que se transparenten a través de la pintura pelada. Utilice los dedos para aplicar la vaselina y sea generoso con ella, pero tenga cuidado de no dejar bultos o pegotes.

6. Cuando termine de poner la vaselina, pinte toda la obra con pintura acrílica previamente aguada hasta la consistencia de un jarabe. Pinte capas finas con cuidado de que no se funda con la vaselina. Deje la obra al aire para que se seque sola, lejos de cualquier fuente de calor, para evitar que la vaselina se licue y se mezcle con la pintura seca.

8. Una vez que haya retirado casi toda la pintura y la vaselina de este modo, lave suavemente el lienzo con un poco de lavavajillas y agua en un lavabo. Frote con cuidado para no dañar la superficie.

7. Cuando toda la pintura esté seca, coja una hoja de papel de cocina y rasque con cuidado la pintura y la vaselina. La pintura se levantará del fondo como si se estuviera pelando. Si algún trozo de pintura se le resiste, rásquelo con la uña.

Si ha utilizado un sustrato de papel como el cartón Bristol, no se le ocurra poner a lavar la obra debajo del grifo. La única forma de quitar la pintura y la vaselina en este caso es utilizando toallitas húmedas, así que no le quedará más remedio que conformarse con la ligera superficie aceitosa que queda al final.

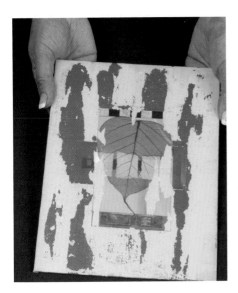

9. Como medida adicional de protección y para estar seguro de que la obra no se pegue al cristal del escáner, aplique con un cepillo una capa de medio o gel sellante y espere a que se seque completamente.

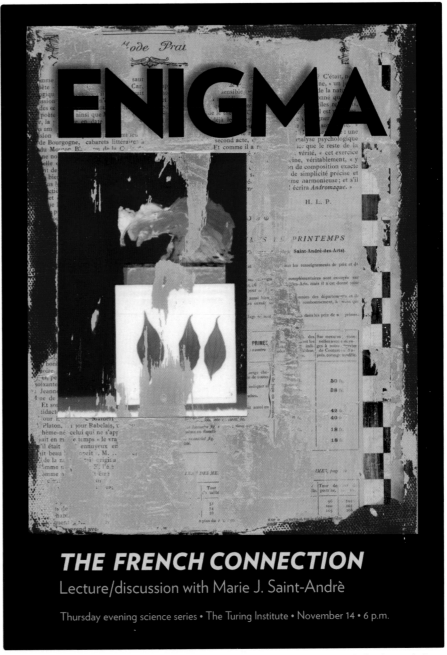

En este póster, la pintura pelada sugiere la idea de un secreto oculto que está siendo revelado.

10. Frotar y trapear la pintura

Cuando la pintura se frota sobre los pliegues o hendiduras de una obra texturizada, crea una preciosa sensación de profundidad y riqueza. Pronto observará cómo esta técnica acaba siendo una de las más utilizadas de su repertorio. Combínela con otras técnicas que creen texturas más o menos ligeras e incluso sobre fondos de pintura lisa: frote la superficie con un poco de pintura y retírasela luego, una poca o casi toda, hasta dejar una capa abigarrada de complejidad.

Pruebe también con el papel de lija: Cuando haya aplicado varias capas de pintura, lije ligeramente la capa superior para revelar el color subyacente. ~R

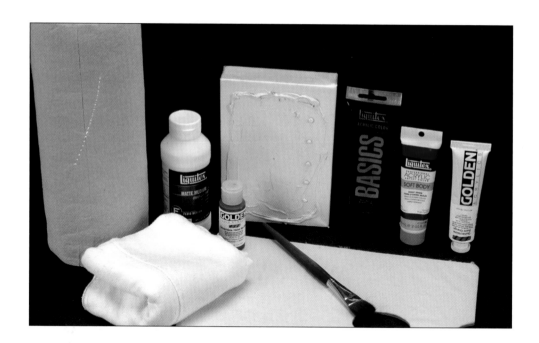

En este ejemplo, he utilizado una tablilla de arcilla a la que previamente he aplicado una textura acrílica con pasta de modelar (véase el capítulo 7) y he cubierto con una pintura metálica de color cobre (véase el capítulo 8).

1. Mezcle un poco de pintura de un tono algo más oscuro que el de la superficie. A mí me gusta mezclar un poco de medio mate o de gel para diluir el color a fin de que sea un poco más fácil trabajar con él.

2. Aplique la pintura más oscura con un pincel, un trapo o un papel de cocina y cubra bien toda la superficie.

    Si está pintando sobre pasta de modelar u otra textura, frote el color más oscuro para rellenar bien los pliegues y cubrir los bordes.

3. Espere unos minutos a que la pintura empiece a secarse y justo entonces frote con movimientos rectos o circulares para retirar la máxima cantidad posible y obtener el efecto que desee.

4. Si la pintura se seca demasiado, rocíe un poco de agua por encima. Mientras no esté completamente seca, podrá seguir quitando pintura.

5. Utilizar un trapo para frotar consigue un acabado más limpio y sutil.

    Si envuelve la obra con el trapo o el papel de cocina (en lugar de frotarla), obtendrá una superficie más abigarrada.

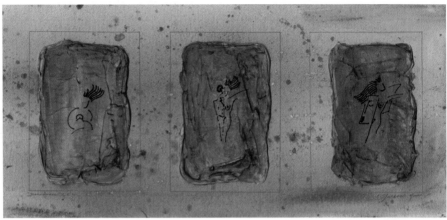

6. Asegúrese de no quitar toda la pintura ni de dejar demasiados restos alrededor. La idea es conseguir un resultado rico y complejo, y no que dé la sensación de algo manchado

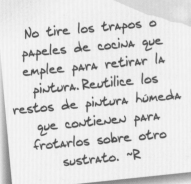

No tire los trapos o papeles de cocina que emplee para retirar la pintura. Reutilice los restos de pintura húmeda que contienen para frotarlos sobre otro sustrato. ~R

EJEMPLOS DE FROTAR Y TRAPEAR

En esta obra he pintado papel de acuarela con una técnica de mojado sobre mojado, que consiste en aplicar un pincel húmedo impregnado de acuarela sobre papel aún mojado con agua o color. Luego, he salpicado el papel con pintura de acuarela densa y un marcador opaco de color dorado para crear un fondo interesante sobre el que aplicar la pasta de modelar. Una vez que el fondo estuvo seco, incorporé pasta de modelar ligera que primero había teñido con un poco de pintura acrílica.

Como mi objetivo era definir bien los surcos, froté pintura más oscura sobre la pasta de modelar seca para revelar la textura.

Buscaba conseguir un efecto tipo petroglifo para la imagen a doble página de esta revista, así que, cuando la pasta estuvo bien seca, dibujé figuras estilizadas directamente sobre los paneles texturizados con un rotulador permanente Sharpie.

La ilustración resultó ser demasiado grande para mi escáner, así que la digitalicé en dos archivos. Luego en Photoshop ajusté la opacidad de la capa superior al 50 por 100 para poder alinear las imágenes con total precisión y la volví a subir al 100 por 100 para acoplar la imagen. Ya está. Una ilustración perfecta.

THE NEW REALITY FOR WOMEN
IN THE TWENTY-FIRST CENTURY

TRANSITION

The reality for women competing in tod
there has never been more opportunity
well-defined goals. On the other, wome
having a family life. They do not want
the CEO chair. Unlike their recent pr
bide their time and wait until their
upper management. Others find w
and don't feel guilty about droppin

Mi intención todo el tiempo era dotar a esta obra de una sensación de antigüedad pero con un borde contemporáneo que la mantuviera vinculada al mundo actual, de ahí la combinación de textura trapeada con dibujos abstractos modernos.

Esta textura áspera y arenosa proporciona un fondo tosco para este cartel promocional de ropa diseñada por Navy SEALs.

Forged Clothing

FORGED
HARD WEAR FOR HARD PEOPLE

www.ForgedClothing.com

PRUEBE ESTO TAMBIÉN

Coja una superficie texturizada y satínela entera mezclando un medio o gel con pintura acrílica y aplicándolo con un pincel por todas partes (si quiere, puede utilizar un gel duro mezclado con pintura acrílica para crear y pintar la textura en un solo paso). Cuando se seque, coja una pintura acrílica de alto impacto y cubra generosamente las zonas más texturizadas. Esta técnica suele ser bastante engorrosa, así que utilice papel de cocina fino o un trapo suave para retirar con cuidado toda la pintura superficial que pueda a fin de dejar sólo pintura gruesa en los pliegues. Inmediatamente la textura gana en contraste y aumenta su interés visual.

Otra posibilidad es cubrir una superficie con una generosa cantidad de pintura húmeda (transparente u opaca, dependiendo del efecto que se persiga) y luego retirarla con trapos arrugados. O rodar los trapos arrugados por la pintura o incluso estampar la pintura húmeda con una esponja, el borde de un vaso, las esquinas de una cartulina, etc., cosas que absorban pintura y con las que se puedan crear formas originales.

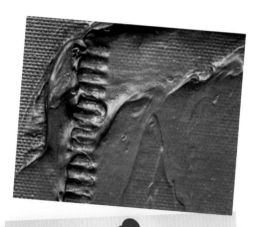

No tire los papeles de cocina. Si están impregnados con acrílicos húmedos o acuarelas, extiéndalos y rocíe o vierta un poco de agua sobre ellos. Los colores se fundirán todos juntos y le quedará una preciosa obra artística de papel texturizado con la que crear algo distinto. ~R

Tenga presente que cuando se recoge pintura con un papel de cocina, una esponja, un vaso o el borde de una cartulina, siempre existe la posibilidad de utilizar ese objeto para estampar pintura sobre otras superficies. ~R

El fondo de esta ilustración de Lady Macduff es un papel de cocina empapado en pintura acrílica acuosa que he pegado en el dorso del expositor con gel. Luego, he cubierto la parte delantera con otra capa de gel suave ligeramente teñido de color y he utilizado la punta del pincel para rascar más texturas. El suelo sobre el que camina la mujer es papel de seda ablandado con gel y pintura acrílica.~R

FROTAR PINTURA SOBRE TEXTURA DE CINTA ADHESIVA

La cinta adhesiva constituye un medio barato, rápido y fácil que funciona especialmente bien con la técnica de frotar y trapear. ~R

1. Sobre cualquier clase de sustrato, incluso la tulipa de una lámpara o papel bond de la impresora, coloque varias capas de cinta adhesiva. Corte ésta en tiras de diferentes tamaños y dispóngalas todas en la misma dirección, cruzándose unas a otras o al tuntún, lo que más le guste.

2. Aplique una primera capa de pintura acrílica sobre la cinta adhesiva. Luego, retire una poca de aquí y otra de allí, a su antojo.

3. Aplique una segunda capa que cubra toda la página o sólo una parte y, si lo estima necesario, una tercera capa. Experimente con colores diferentes en distintas zonas de la obra dependiendo del fin último que tenga pensado darle al proyecto. Frote y trapee cada capa.

El texto del titular de este folleto está hecho con arcilla polimérica. Para ello, he utilizado el molde en forma de letra del capítulo 39. ~R

11. Texturas estampadas con tinta al alcohol

Se pueden crear hermosas texturas ricas y moteadas con tintas a base de alcohol. Las tintas al alcohol están diseñadas para superficies deslizantes, por lo que son la opción perfecta para imprimir sobre metal, vidrio, papel satinado, fotografías, frigoríficos, cabezas calvas u otras superficies lisas y pulidas que se le ocurran.

La aplicación mediante estampado o goteo de estos materiales crea patrones y texturas asombrosas.

Pero, antes de decorar con ellos un objeto importante, como una fotografía en papel satinado, no olvide hacer una prueba primero en un área poco visible para ver cómo reacciona el alcohol con cada sustrato específico.

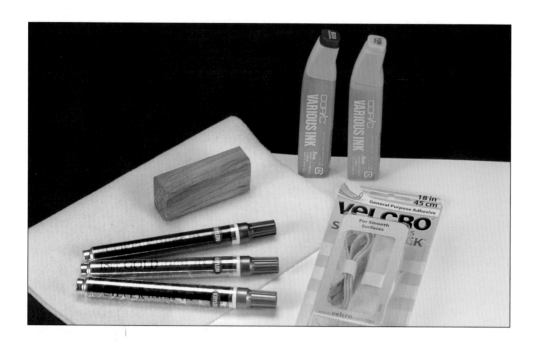

Para fabricar su propio sello de estampar, necesitará un poco de cinta de velcro con dorso adhesivo y algún tipo de bloque de estampar.

1. Corte un trozo de velcro de la misma longitud que el bloque de estampar y péqueselo bien encima.

2. Corte una tira de fieltro del barato del mismo tamaño que el bloque y adhiérasela sobre el lado que tiene el velcro.

También puede comprar un sello con tampón y fieltros de repuesto en una tienda de artesanía.

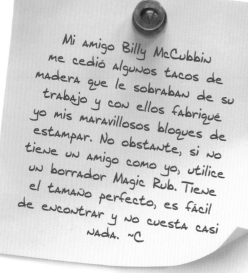

Mi amigo Billy McCubbin me cedió algunos tacos de madera que le sobraban de su trabajo y con ellos fabriqué yo mis maravillosos bloques de estampar. No obstante, si no tiene un amigo como yo, utilice un borrador Magic Rub. Tiene el tamaño perfecto, es fácil de encontrar y no cuesta casi nada. ~C

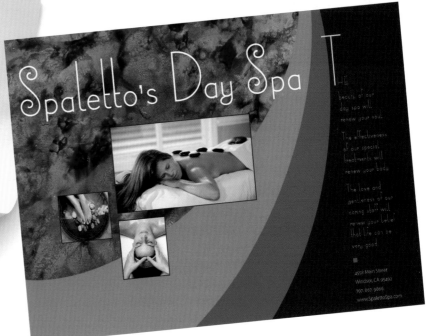

Imágenes cortesía de iStockphoto

CREAR PATRONES CON TINTAS AL ALCOHOL

Las tintas al alcohol están diseñadas para su uso sobre superficies deslizantes, así que déle alas a su imaginación. Utilícelas, por ejemplo, en tampones o sellos que tenga por ahí guardados.

1. Embadurne el tampón de fieltro artesano con gotas de tintas al alcohol de dos o tres colores.

2. Si tiene un rotulador de pintura metalizada, haga lo mismo con él.

3. Empiece a aplicar con toquecitos ligeros el tampón impregnado en tinta sobre el papel estucado. Superponga unas formas con otras y deje que la tinta se mezcle sobre el papel.

    Vuelva a impregnar de tinta el tampón, si es necesario, y siga trabajando en la textura hasta que obtenga el aspecto que desee. A mí me gusta mezclar tintas metalizadas de plata y oro para conseguir diseños más interesantes.

Como puede ver, estas texturas marmóreas son ricas y complejas.

Como el papel de base es un papel estucado, las texturas tardan bastante en secarse. Si la superficie es demasiado porosa, utilizar un secador puede hacer que la tinta se corra y estropear el diseño (o mejorarlo), así que tenga paciencia.

PRUEBE ESTO

Más técnicas para utilizar con tintas al alcohol.

- Vuelque los botes para que las tintas goteen sobre la superficie deslizante y mezcle los colores para crear texturas interesantes tipo "lámpara de lava" (véase la figura de la derecha).

- Por goteo, estampado o impresión, cree una imagen con tintas al alcohol en el lado adhesivo de un papel para congelar y luego use ese papel como tampón para trasladar la imagen a otras superficies.

- Por goteo, estampado o impresión, cree una imagen con tintas al alcohol en el dorso de una lámina de plexiglás (véase la figura mostrada justo aquí abajo) y emplee luego otra técnica en la parte de delante del acrílico para aumentar la sensación de profundidad.

Imágenes cortesía de iStockphoto

He aprovechado estas gotas de tinta al alcohol para encajar las letras, simular el sol y dar la sensación de un intenso calor de verano. Compré tres fotos de iStockphoto.com, las transformé en siluetas en Photoshop y las monté el anuncio en Illustrator. Como toque final, incluí algunos símbolos de la librería de símbolos de Illustrator.

En este diseño, las texturas de tinta están dentro de las letras. En InDesign, escogí la fuente, seleccioné la caja de texto con el puntero negro y elegí la opción Crear contornos del menú Texto. Luego, coloqué la imagen escaneada de la textura de tinta al alcohol en el documento de InDesign encima del texto. Por último, "recorté" la textura, seleccioné el texto trazado y utilicé el comando Pegar en del menú Editar para colocarla dentro de las formas de las letras. ~R

12. Texturizar con fondos absorbentes y papel washi

Igual que adoro mis papeles de acuarela Arches de 300 lb (650 gr/m²), también amo probar productos nuevos y experimentar con otras técnicas, como ésta en la que utilizo un material llamado "fondo absorbente".

El fondo absorbente es un medio que viene en un recipiente y que se aplica con pincel a casi cualquier sustrato. Sirve para preparar el sustrato para la aplicación de medios líquidos o acuosos. Los resultados no se parecen ni por equivocación a los de utilizar un papel de acuarela no satinado, pero para hacer *collages* y texturas es ideal.

El washi es un papel japonés muy fino y de aspecto delicado que se extrae de la pulpa de la madera del árbol gampi. Pero, aunque su aspecto y su tacto son delicados, es más duro y resistente que el papel hecho de pulpa de madera. Las prendas de ropa y muchos productos domésticos y juguetes están hechos con papel washi. En este proyecto, combinaremos fondo absorbente con papel washi para crear texturas muy hermosas.

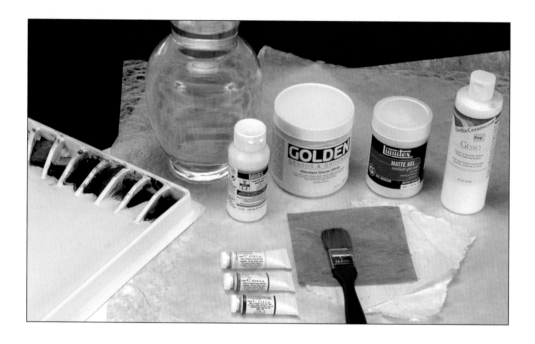

JUGAR CON LOS MATERIALES

Después de haber extendido el fondo absorbente por el sustrato, me gusta pegar papeles washi encima para resaltar arrugas y bordes rotos. Para pegarlos, utilizo un medio mate.

Diseño la superficie de manera muy casual, abstracta y aleatoria, y me aseguro de no cubrirla entera. Luego, aplico gesso u otros medios acrílicos mediante goteo y salpicaduras para conseguir una superficie multitextura rica y variada. Antes de que los medios se sequen, a veces espolvoreo un poco de arena de playa limpia y seca sobre algunas zonas.

JUGAR CON EL PAPEL DE ACUARELA

Mi buen amigo el papel de acuarela entra en escena con una técnica que permite recuperar completamente, o casi completamente, el color blanco del papel. Pero, antes de poderlo usar como sustrato para fondo absorbente y washi, primero hay que aplicarle una capa de medio mate y dejarla secar. Así creamos una barrera que impide que los pigmentos penetren en las fibras del papel luego al pintar sobre él.

Esta acción hace que el papel de acuarela pierda sus propiedades para trabajar con pinturas de acuarela transparentes normales, pero lo dota del poder de crear algunos efectos texturales absolutamente extraordinarios.

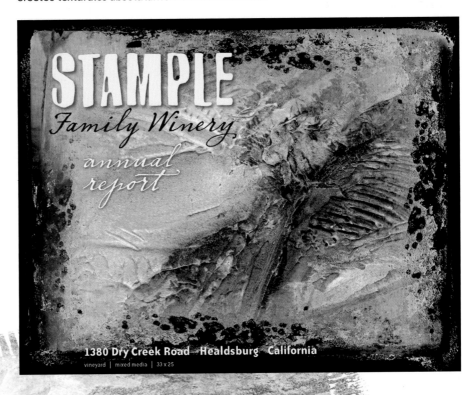

STAMPLE
Family Winery
annual report

1380 Dry Creek Road · Healdsburg · California
vineyard | mixed media | 33 x 25

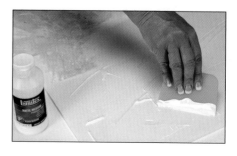

1. Elija algunos papeles washi que le gusten, con encajes, lazos, hilos, etc. Experimente con todos los tipos que hay. Divida los papeles en trozos de diferente forma y tamaño.

2. Aplique un pegote de fondo absorbente sobre el sustrato. Para ello, yo suelo utilizar una espátula, un cuchillo de mantequilla o incluso un trocito de hule para embadurnarlo todo bien. Lo mejor es extenderlo con movimientos sueltos y abstractos para que la pintura penetre bien en las arrugas y los huecos, así que no se esmere demasiado en ser pulcro.

3. Pegue el papel washi sobre el sustrato utilizando el fondo absorbente y/o medio mate como adhesivo. Cree formas grandes, de bordes irregulares y superponga las unas a las otras. Péguelo todo bien, pero no tape las arrugas y la textura.

4. No tenga miedo de usar los dedos para presionar todo bien sobre el sustrato.

En lugar de papel washi también puede probar con patrones de costura. Son finos e incluyen marcas interesantes. ~R

Si no tiene washi a mano, utilice papel de seda blanco como el que sirve para envolver regalos. Los papeles de seda de colores suelen soltar los colores, así que téngalo en cuenta si los utiliza y aproveche esta característica.
Si su intención es cubrir totalmente la textura con pintura para que el washi no se vea, no lo dude, lo mejor es usar papel de seda barato. ~R

7. Cuando esté satisfecho con el aspecto de su textura, déjela secar bien al aire. Si quiere, saque el secador de pelo y acelere el proceso, pero sea paciente. El fondo absorbente es espeso y el papel washi casi como tela, así que puede tardar bastante. Si le aburre esperar, aparque el proyecto a un lado un rato y trabaje en otro mientras tanto.

5. A veces pinto con fondo absorbente para conseguir el efecto de pinceladas. Para que funcione, hay que diluir un poco el fondo con agua.

6. Tampone, raye, perfore sus texturas para crear huecos más interesantes en los que pueda penetrar la pintura.

8. Cuando la obra esté bien seca, mezcle algunas pinturas de acuarelas o acrílicos rebajados y empiece a pintar sobre la textura. Como el fondo absorbente forma una película sobre el sustrato, es más fácil aplicar y repetir las aplicaciones de pintura hasta obtener el resultado deseado sin miedo de estropear la superficie subyacente.

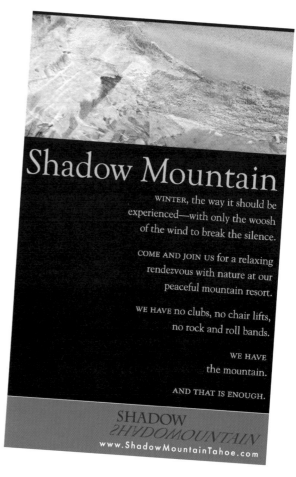

PRUEBE CON MEDIO MATE, WASHI, ARENA Y GESSO

Esta técnica es muy parecida a la anterior. La diferencia sólo está en los materiales artísticos. En lugar de medio mate, anímese a utilizar un polímero (brillante) o cualquiera de los geles que hay. Si no dispone de arena limpia de playa, pruebe con las arenas de colores que venden en las tiendas de arte.

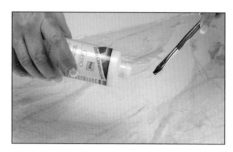

1.   Empiece igual que en el ejemplo anterior (paso 1), pero en esta ocasión utilizando medio mate en lugar de fondo absorbente para estrujar y adherir el washi al sustrato.

2.   Espolvoree arena sobre la obra mientras el medio mate aún esté húmedo.

3.   Salpique la cantidad que quiera de gesso, transparente o blanco opaco, dependiendo del efecto que persiga.

4.   Espere a que la obra se seque completamente.

5.   Mezcle un poco de pintura de acuarela densa y húmeda (transparente) o pintura acrílica (opaca o bien diluida con agua o gel) y empiece a pintar sobre la textura.

6.   Aplique capas de colores hasta que las arrugas y la textura arenosa absorba la cantidad suficiente de pigmentos como para dotar de contraste a la obra.

Para esta obra, John Tollett abrió la textura digitalizada en Photoshop, le aplicó el filtro Enfocar bordes para resaltar las texturas de forma aún más drástica.

13. Crear texturas con monoimpresiones

Con las monoimpresiones se pueden crear texturas abstractas de gran originalidad con trazos de pincel claramente visibles y degradados de color sutiles.

El nombre de "monoimpresión" viene de que sólo se puede obtener una impresión, es decir, una obra única, a partir de cada trozo de vidrio pintado. Lo normal es escanear esa impresión, por supuesto, pero la técnica también se puede aplicar para crear otras obras "originales" montando secuencias de trabajos originales digitalmente impresos y retocados.

Por ejemplo, imagine que la oficinal central de su empresa va a celebrar un almuerzo anual para sus clientes más importantes en un restaurante de moda. Para ello, puede diseñar unas invitaciones preciosas siguiendo la línea de la inauguración de una galería de arte. Mientras las 300 invitaciones están en la imprenta, puede crear 15 monoimpresiones, cortar cada una en 20 tarjetas y adjuntar una a cada invitación (con una gotita de pegamento) como si fuera una obra de arte original. Que lo es.

CREAR MONOIMPRESIONES

Los materiales necesarios para hacer monoimpresiones son muy básicos: un trozo de vidrio, una paleta, un rodillo duro, varias tintas de impresión y hojas de papel de imprimir.

Durante el proceso se extiende tinta con un rodillo sobre la paleta (a mí me gusta utilizar en este caso otro trozo de cristal como paleta) y se aplica esa tinta a un fragmento de vidrio. Si extiende varias tintas haciendo un movimiento de arcoíris (dos o más tintas dispuestas en un rodillo la una al lado de la otra fundiéndose en una transición de color), puede crear un sutil degradado de gran belleza.

Como contraste a esa sutilidad, personalmente me gusta pintar sobre cristal con un pincel duro para resaltar bien los trazos del pincel.

Cuando la tinta esté en el cristal a su gusto, ponga una lámina húmeda de papel de imprimir sobre la imagen y frótela con ella. Luego, sólo queda pelar el papel del cristal para encontrar la imagen de tinta transferida al papel.

1. Después de dividir el papel de impresión hasta obtener un trozo del tamaño deseado, introdúzcalo en una cuba de agua limpia y déjelo dentro unos minutos mientras prepara el cristal pintado. El papel lo utilizará en el paso 6.

2. Pinte un poco de color sobre el cristal con las tintas de impresión de base acuosa. A mí me gusta agregar un poco de medio mate para evitar que las cosas se sequen demasiado rápidamente. En el ejemplo anterior, he añadido algunas rayas de pintura acrílica roja.

3. Utilice el rodillo duro para fundir los colores.

4. Cuando quiero añadir texturas y marcas, utilizo los pinceles.

Si quiere escribir letras en la pintura, asegúrese de escribirlas de derecha a izquierda porque al final la imagen habrá que invertirla y se leerán al revés.

5. Pruebe a usar herramientas de repujar, una espátula o algo del estilo para crear texturas. ¿O qué tal un peine? También puede usar pinchos de cocina o el extremo de un trozo de cartón corrugado o hilo de acero o mil cosas más.

6. Extraiga una hoja de papel de la cuba de agua y redúzcale un poco la humedad estrechándola ligeramente entre dos trapos o toallas.

7. Con cuidado, coloque el papel sobre la imagen del cristal.

Una de las cosas que me encanta hacer con esta técnica es rayar o tamponar sobre la pintura del cristal. Para ello, utilizo una espátula y toda clase de objetos para tamponar, como esponjas, mallas, lazos, los bordes de una tarjeta de crédito rota, estropajo de aluminio, papeles corrugados, el culo de un vaso de papel, etc. Eche un vistazo a su alrededor, en casa o en el estudio, y mire a ver qué encuentra. Quizá le sorprenda la cantidad de cosas que se pueden utilizar y que podrían crear patrones interesantes.

8. Con cuidado, presione el dorso del papel con un rodillo o un frotador.

Si la capa de pintura es demasiado fina y un poco pegajosa, la imagen se transferirá mejor. Necesita presionar bastante fuerte para revelar la textura. No obstante, aplicar movimientos rectos hacia arriba y hacia abajo evita que la pintura se corra.

9. A veces es posible extraer una segunda impresión a partir de la imagen, si queda suficiente pintura en ella. Si lo consigue, el resultado puede ser incluso más abstracto.

También puede pulverizar agua en un plato y dejar reposar una hoja de papel de cocina sobre él. Luego, enrolle y rocíe el papel hasta que esté bien impregnado de color (véase el capítulo 27).

Limpie el trozo de vidrio con un papel de cocina y empiece a hacer lo mismo desde el principio con otra imagen.

Los resultados de las monoimpresiones siempre consiguen sorprenderme. Normalmente suelo utilizar sólo una parte de ellas en mis gráficos.

14. Crear texturas de burbujas

Esta textura es muy divertida de hacer, pero algo más engorrosa de lo que parece a simple vista. Lo primero es conseguir la proporción adecuada de líquido lavavajillas y agua (cuatro partes de agua por cada parte de lavavajillas). Luego, asegurarnos de que utilizamos los pigmentos adecuados (pinturas marmoleadas). Hace falta un papel que funcione bien con el agua y que tengo una textura suave (como el papel de imprimir).

Yo ya he cometido todos los errores habidos y por haber por usted, así que, si sigue todos los pasos que a mí tantos esfuerzos me ha costado aprender, seguro que a usted le sale una textura maravillosa a la primera.

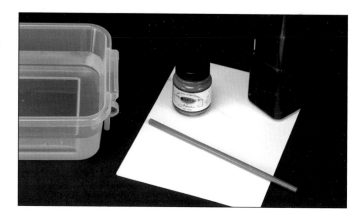

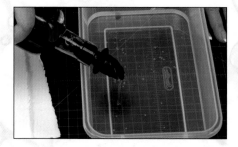

1. Divida el papel de impresión en hojas de un tamaño que quepa en su recipiente.

2. Prepare una mezcla de líquido lavavajillas y agua: cuatro partes de agua por cada parte de lavavajillas.

3. La mezcla debe quedar un poco cremosa. Queremos que las burbujas sean bastante resistentes, por lo que es importante conseguir la proporción exacta o se desharán demasiado rápidamente.

4. Vierta la pintura marmoleada. Asegúrese de crear un color vivo, ya que los resultados suelen ser bastante sutiles y pasar casi desapercibidos, y el objetivo es que se vea algo en la página.

5. Utilice la pajita para fabricar una hoja con muchas burbujas. Sople con cuidado para que las burbujas salgan grandes y redondas, y no un montón de espuma poco definida.

6. Coloque el papel en horizontal y póselo lentamente sobre la capa de burbujas. No deje que el papel toque la superficie del líquido, sólo las burbujas.

7. El papel quedará impregnado con una suave textura de burbujas.

Por supuesto, puede repetir el proceso con burbujas de otro color y crear patrones más ricos y complejos.

También puede combinar esta técnica con otros tipos de texturas de fondo.

COMBINAR TÉCNICAS. SUPERPONER LOS EFECTOS

Una de las cosas más divertidas es superponer un montón de efectos para alcanzar el aspecto perseguido para un proyecto.

Si llega a un punto en el que odia el resultado porque la obra no es lo que buscaba o porque presenta un aspecto poco refinado, sólo tiene que coger un poco de gesso blanco y pintarla o utilizar una espátula para texturizarla, y empezar de cero, ya sea toda la obra completa o sólo la parte que no le guste.

La imagen de la figura 14.9 no es un proyecto acabado, sólo una muestra de la aplicación conjunta de varias técnicas para animarle a sacar todas las pinturas y herramientas que tenga y a probarlas dando riendas a su imaginación.

Algunas de las técnicas empleadas aquí se explican en capítulos posteriores, así que eche un vistazo al índice.

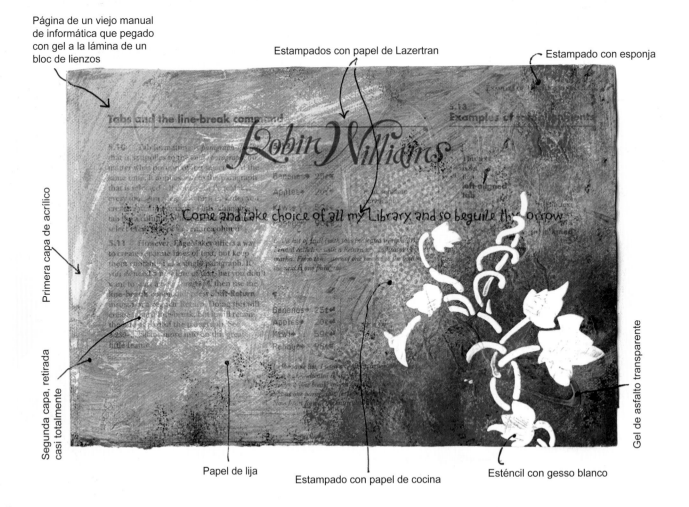

Página de un viejo manual de informática que pegado con gel a la lámina de un bloc de lienzos

Estampados con papel de Lazertran

Estampado con esponja

Primera capa de acrílico

Segunda capa, retirada casi totalmente

Gel de asfalto transparente

Papel de lija

Estampado con papel de cocina

Esténcil con gesso blanco

Texturas con pintura

Con la mente abierta y ganas de experimentar, encontrará que hay un sinfín de maravillosas técnicas de pintura con acuarelas transparentes o acrílicos opacos que rápidamente pueden entrar a formar parte de su repertorio particular. Usted, como diseñador, es quien debe decidir qué es lo más divertido, cómodo y eficaz para forma personal de trabajar.

Hay muchas maneras de hacer cosas en este mundo y una de ellas es, sin duda, crear texturas con pinturas en diseño gráfico.

FIREFLY

Bar & Grill

Texturas con pintura

Aunque aquí le enseñaremos cada técnica individualmente, no olvide que cuando más divertidas son es cuando se utilizan todas juntas y mezcladas.

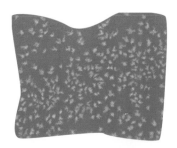

15. SAL Y PINTURA

La simple sal de mesa es capaz de añadir un toque increíble de dinamismo a las acuarelas.

18. VERTER LA PINTURA

Vierta pintura sobre un papel para obtener precioso tonos degradados.

16. SOPLAR LA PINTURA

Utilice una pajita para soplar la pintura en forma de ramificaciones o telas de araña.

19. RAYAR LA PINTURA

Raye o arañe la pintura para crear definición en formas aleatorias.

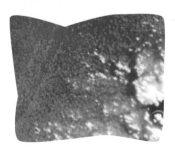

17. PULVERIZAR LA PINTURA

Utilice un atomizador de agua para pulverizar agua sobre pintura húmeda y hacer que se corra.

20. ESPONJAR LA PINTURA

Impregne una esponja en pintura húmeda para crear una gama de texturas orgánicas.

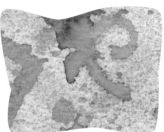

21. SALPICAR LA PINTURA

"Tire" pintura sobre el papel.

Ya desde que era estudiante me encantaba la belleza y el desafío de los medios líquidos. Me atraía la imprevisibilidad y la luminosidad de los resultados, razón por la que sigo investigando y profundizando en ello hasta el día de hoy. Mi querida amiga Tosya Shore y yo nos juntamos casi todos los viernes por la tarde que podemos para pintar juntas. Todos los años asistimos a talleres para experimentar con los nuevos avances y técnicas. Pintamos obras abstractas con texturas, ilustraciones y cuadros de paisajes tradicionales. Resulta verdaderamente fascinante y, mientras pintamos, hablamos de lo humano y lo divino. ~C

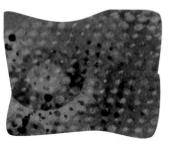

22. PINTAR CON AGENTES RESISTENTES

Bosqueje elementos en el papel que reaccionen a la pintura.

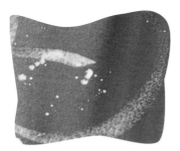

23. COMBINACIÓN DE TÉCNICA DE ESTAMPADO DE PINTURA CON AGENTES RESISTENTES

Estampe texturas aleatorias en la pintura.

24. LA PINTURA Y LA LEJÍA

Utilice lejía para crear diseños inquietantes en la pintura.

25. PRECINTAR Y PINTAR

Utilice la cinta adhesiva de toda la vida para crear texturas pintadas.

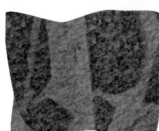

26. ENVOLTURAS DE PLÁSTICO Y PINTURA

Cree texturas con embalajes o bolsas de plástico.

27. PAPEL DE COCINA Y PINTURA

No se resista a reconocer el valor de los papeles de cocina como elementos de diseño.

15. Sal y pintura

Ésta es una vieja técnica de las que funcionan, que puede resultar cursi en el peor de los casos y encantadora en el mejor. El fundamento de esta técnica es que la sal absorbe el agua y, como es un cristal, no sólo la absorbe sino que deja tras de sí una imagen cristalina. Si espolvorea sal de mesa sobre una capa de pintura húmeda de color oscuro, en cuestión de segundos verá aparecer pequeñas imágenes en forma de copos de nieve.

Parece infalible, pero por supuesto no lo es. Para que esta técnica funcione, no se trata de "verter" la sal por encima y ya está, sino de "espolvorearla" poco a poco y en el momento exacto. ¿Cuál es el momento exacto? Pues cuando la capa de pintura húmeda haya perdido el lustre de la humedad y no antes. Pero no espere a que se seque demasiado o no pasará nada.

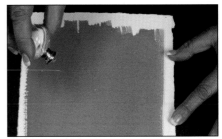

1. Extienda una buena capa de pintura húmeda espesa sobre una hoja de papel de acuarela. Para que el efecto sea visible, lo ideal es utilizar colores de semioscuros a oscuros.

2. La clave para conseguir este efecto es trabajar con el nivel de humedad de la pintura. Si está demasiado mojada, los resultados serán mínimos y, si está demasiado seca entre, mínimos y ninguno.

   La pintura debe estar en su punto justo de humedad. Cuando casi haya desaparecido el lustre del agua, pero no del todo, espolvoree los cristalitos de sal por encima.

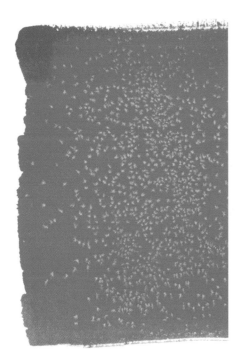

3. Espere a que la pintura se seque con la sal. Este paso es importante porque los granitos de sal a veces penetran en el pigmento y se mueve incluso aunque estén un poco húmedos.

4. Cuando todo esté bien seco, retire la sal con cuidado de la obra utilizando un cepillo.

Con diferentes tipos de sal se obtienen resultados distintos, así que experimente todo lo que quiera.

En este folleto he utilizado textura de sal, tanto en la acuarela que compone la imagen de la cubierta como en el fondo. El fondo es el diseño de pintura roja que he creado para el ejemplo de este capítulo. En InDesign, lo coloqué encima de un rectángulo negro liso, ajusté la opacidad de la pintura roja al 44 por 100 y cambié el efecto a Luminosidad (del panel Efectos). Qué maravilla poder aprovechar el poder de los elementos artesanos y de las herramientas digitales a la vez, ¿verdad?

16. Soplar la pintura

Cuando mi amiga Tosya y yo asistimos al taller de acuarela de Lian Quan Zhen y vimos a este artista soplar la pintura e incluso usar los dedos para crear pinturas frescas y espontáneas, nos quedamos completamente cautivadas. Su control de la técnica era fascinante.

Yo, personalmente, encuentro más fácil controlar el recorrido de la pintura cuando utilizo una pajita, pero usted experimente con todas las posibilidades a su alcance y mire a ver qué le funciona mejor, si los dedos, un secador de pelo, las gotas de lluvia sobre la pintura mojada, inclinar el papel, añadir textura al sustrato o dejar que la pintura se mueva como quiera. Los hilos de pintura estilo telaraña tienen grandes posibilidades como elementos gráficos.

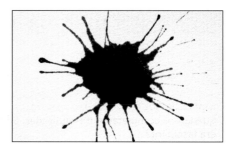

1. Empiece con una hoja seca de papel de acuarela. Yo a veces utilizo una superficie ya pintada. Lo importante es que esté seca.

2. Vierta un buen charco de pintura de acuarela sobre la hoja de papel.

3. Coja una pajita y sople la pintura desde los bordes del charco hacia fuera. Con un poco de práctica, verá cómo va dominando la técnica poco a poco y controlando la forma y la longitud de los hilos.

4. O bien, llene los mofletes de aire y sople con toda su fuerza sobre el charco de pintura. Repita hasta que tenga la pintura donde quiera que esté.

En esta obra de masonite, he puesto una capa de pintura acrílica (que luego he retirado parcialmente), gel de piedra pómez y gel normal. A continuación, he esponjado, rascado y soplado la pintura por varias zonas para darle a la imagen un efecto orgánico. Las alas de la polilla son de una polilla muerta que encontré en la ventana. ~R

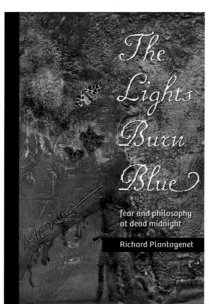

Imágenes cortesía de iStockphoto

Como soy diseñadora digital, no tuve que asumir el riesgo de arruinar mi preciosa acuarela soplando un pegote de pintura sobre ella. Lo que hice fue abrir InDesign, colocar una imagen digitalizada de la pintura soplada (un archivo TIFF) sobre la imagen de la acuarela y aplicar el efecto Multiplicar (del panel Efectos) para convertir el papel blanco en transparente. ~C

17. Pulverizar la pintura

Para poner en práctica esta técnica, hay que estar dispuesto a pringarse las manos y lo que no son las manos, así que le recomiendo que, como mínimo, proteja la mesa de posibles ríos de pintura. No hay manera de predecir el resultado, así que también hay que estar dispuesto a asumir riesgos sobre lo que uno puede acabar encontrándose en la página.

Cuando cree texturas para obras de diseño gráfico, no se preocupe de obtener preciosas pinturas perfectas y maravillosas para colgar en un cuadro en la pared. La mayoría de mis texturas finales parecen auténticas chapuzas inacabadas, pero de alguna manera siempre encuentro algún borde especialmente interesante o algún accidente de color con un uso inusitadamente práctico. Sólo tengo que escanear esa pequeña zona y utilizarla en mi proyecto. Por eso, no hace falta dominar todas estas técnicas pictóricas como si fuéramos artistas de galería para conseguir efectos provocativos en nuestras obras de diseño.

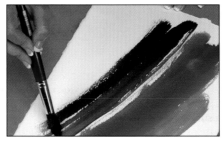

1. Extienda una capa bastante espesa de pintura sobre su sustrato. La idea es que no se vea chapuceramente mojado, pero tampoco que tenga el efecto de un pincel seco sobre papel seco. Deje blanco por los bordes.

2. Añada otro color, si quiere, para tener más opciones de colorido. No deje que se seque.

3. Coja el atomizador y atomice sobre la pintura mojada siguiendo la línea de los bordes. Verá que se va creando una especie de flequillo con pequeñas corrientes de pintura en forma de riachuelos sobre el papel blanco.

4. Ladee el papel para hacer que la pintura corra y chorree desde ese flequillo.

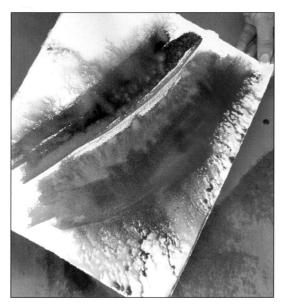

Where the terroso meets the sea

Pasquale Island

18. Verter la pintura

Esta técnica, aunque un poco engorrosa, es muy gratificante porque permite al final ver cómo fluyen los colores juntos y cómo se mezclan en la página. No obstante, para crear un fondo realmente atractivo son imprescindibles dos cosas: rapidez

y saber cuándo parar. Es muy fácil dejarse arrastrar y acabar creando algo caótico en lugar del diseño de colores brillantes con bordes hermosamente perfilados y nítidos que era la idea al principio.

Un enfoque que funciona bien es empezar con colores primarios para luego avanzar hacia mezclas más sofisticadas una vez que se haya alcanzado cierto dominio y conocimiento de cómo se mezclan las pinturas.

Una técnica que casa muy bien con la de verter pintura es la de salpicar y pintar primero toda la superficie blanca del papel (véase el capítulo 21) antes de verter.

Para esta técnica, lo mejor es un papel de acuarela bien grueso, ya que cuanto más rígido es el papel, más fácil es controlar el movimiento de la pintura.

Mezcle las acuarelas con el agua utilizando unos cuencos pequeños, uno para cada color. Si desea obtener colores vivos y brillantes, asegúrese de dejar que la mezcla esté un poco más cremosa que líquida.

Para un cuarto de papel de acuarela, mezcle como mínimo la tercera parte de un cuenco de cada color. Las acuarelas se secan con tonos más pálidos de los que tienen cuando están mojadas, por lo que si la pintura está demasiado líquida, al final los fondos quedan demasiado apagados.

1. Cuando mezcle los colores, sumerja el papel de acuarela varios minutos en agua limpia.

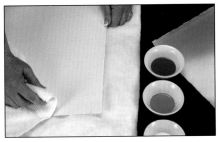

2. Seque el papel con un trapo limpio y vacíe la bandeja de agua.

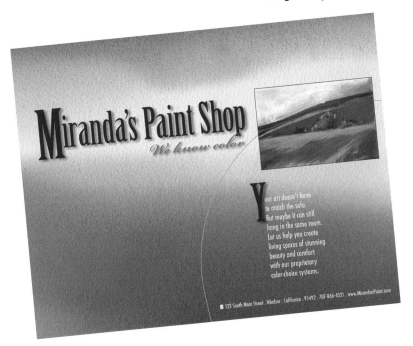

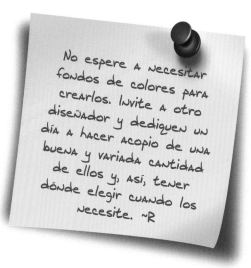

No espere a necesitar fondos de colores para crearlos. Invite a otro diseñador y dediquen un día a hacer acopio de una buena y variada cantidad de ellos y, así, tener dónde elegir cuando los necesite. ~R

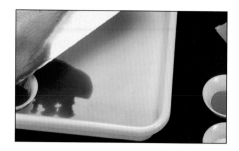

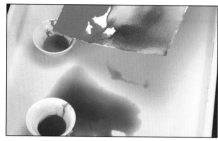

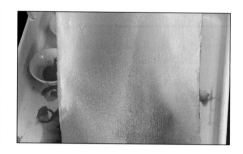

3. Sujetando el papel sobre la bandeja vacía, vierta el primer color sobre la parte húmeda de la hoja e incline ésta para que la pintura se extienda. No cubra toda la página.

Intente reservar un poco de color y viértalo de nuevo en el recipiente.

4. Vierta un poco del siguiente color en una zona blanca de la página y de nuevo ladee el papel de un lado a otro para que la pintura discurra y se mezcle un poco con el otro color.

Reserve un poco de espacio blanco en el papel para el tercer color.

5. Vierta el tercer color y siga ladeando el papel y dirigiendo los chorros de pintura como más le guste para conseguir el efecto deseado. Pero tenga cuidado de no mezclarlo todo, le aseguro que hacerlo no resulta para nada atractivo.

Si quiere, puede pulverizar un poco de agua para dinamizar los chorros y deshacerse de esos feos huecos blancos. Pero no toquetee demasiado la pintura si no quiere que se empiece a motear y pierda ese precioso aspecto fluido.

Si le queda pintura en los cuencos, doble un par de papeles de cocina y tíñalos sumergiéndolos en los colores. O escurra las sobras de pintura con papeles de cocina y luego cuélguelos a secar para poder utilizarlos en otro proyecto. Mire, por ejemplo, el capítulo 27. ~R

PRUEBE ESTO TAMBIÉN

La técnica de acuarela poco menos que me aterra. Carmen y yo tenemos anécdotas interesantes de nuestras aventuras con este medio. Carmen es una artista por derecho propio y es brillante con las acuarelas, pero yo prefiero los acrílicos porque no son tan engorrosos o exigentes. ~R

- Vierta pintura acrílica (los acrílicos líquidos funcionan especialmente bien en este caso (consulte el capítulo 2) sobre una lámina de plexiglás o vidrio. Cuando esté seca pélela con una espátula y utilícela en un *collage*.

- Vierta acrílicos líquidos (o acrílicos normales rebajados con agua) sobre una superficie ya texturizada e incline la obra para que la pintura chorree por ella. Pruebe a texturizarla con un gel que contenga partículas como pequeñas perlas de cristal o polvo de piedra pómez.

- Vierta pequeñas cantidades de varios acrílicos líquidos en un cuenco de papel. Sin mezclar ni agitar los colores, transfiéralos del cuenco al sustrato.

- Pinte una superficie de plexiglás o vidrio con varias capas de gel o medio polimérico brillante (cuanto más brillante, más transparente al final). Antes de poner una capa nueva, espere a que se seque bien la anterior. Luego, gotee la pintura acrílica sobre el gel o medio. Cuando todo esté bien seco, pele la pintura y transfiera la imagen a otras superficies como si fuera una calcomanía transparente. Péguela con más gel o medio.

En Photoshop he alterado los colores de la pintura que había vertido sobre esta superficie con el panel Tono/saturación y luego he elegido sólo una esquina para utilizarla en la postal de la imagen.

19. Rayar la pintura

Las acuarelas pueden ser un medio tan abstracto con esos bordes generalmente tan suaves y esos colores transparentes, que, para crear definición, sólo hay que rayar en la pintura cuando está húmeda.

Cuando mi primer profesor de acuarela, el señor Nye, sacó su pequeña navaja multiusos del bolsillo y comenzó a rayar unas hermosas ramas de árbol en una preciosa acuarela de tono oscuro, no pude evitar engancharme a esta técnica. Por supuesto, cuando él lo hacía, parecía tan sencillo. Pronto tuve ocasión de comprobar que ese rayado tan elegante no es para nada fácil de conseguir. Hay que ser paciente, estar alerta y mostrar un poco de audacia para crear buenos diseños rayados. ~C

RAYAR LA PINTURA

Ante todo, lo primero que hay que hacer es elegir la herramienta adecuada para el tipo de rayado que se quiera obtener. Si lo que quiere es rayar una marca fina en una capa de pintura húmeda de color oscuro, necesitará una herramienta roma, como la punta del mango de un pincel o la hoja poco afilada de una navaja. Básicamente, se trata de ir sacando la pintura, más o menos como una esponja.

Si quiere trazos rayados definidos y limpios en una zona seca de la pintura, emplee un cuchillo X-Acto, una cuchilla de afeitar o una navaja de bolsillo afilada.

Otra cosa a tener en cuenta es el nivel de humedad o sequedad que tiene el papel. Si la pintura húmeda está demasiado mojada al rayar sobre ella, chorreará dentro del trazo recién rayado y lo que quedará será una marca oscura. El efecto puede ser interesante en sí, pero completamente distinto de la marca fina y sutil que andaba buscando.

Si la pintura no está lo suficientemente húmeda, no conseguirá absolutamente nada.

Así que experimente, pero preste atención todo el tiempo a los resultados (Robin, quien mantiene una relación horrible con las engorrosas acuarelas, dice: "¡Prueba con los acrílicos!").

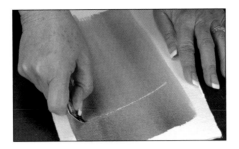

- Extienda una capa de pintura húmeda de color oscuro sobre el papel de acuarela y déjela secar sólo hasta que desaparezca el brillo de la humedad.

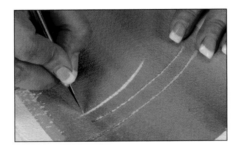

Efecto dos

En este efecto, lo que va a hacer básicamente es cepillar la pintura fuera de la zona, así que utilice una herramienta ligeramente roma. Extienda una capa de pintura húmeda de color oscuro y, mientras todavía esté bastante húmeda, raye sobre ella con un objeto punzante para crear una marca más fina.

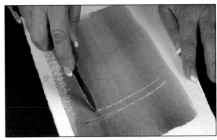

Efecto uno

Coja un objeto afilado, como un cuchillo X-Acto o una navaja de bolsillo, y raye sobre la pintura seca hasta tocar el papel. Comprobará que el papel se rompe, así que lo mejor es que deje esta técnica para el último paso de su obra.

Otras técnicas de rayado

¡PRUEBE CON LOS ACRÍLICOS!, DICE ROBIN

Las pinturas acrílicas, a diferencia de las acuarelas, dan más cuerpo y mucho más tiempo para rayar, sobre todo cuando se mezclan con un gel o medio (véase el capítulo 2) para espesarlas y alargar su tiempo de secado.

1. Si lo que quiere es crear un fondo, primero extienda una capa de pintura acrílica utilizando alguna de las técnicas explicadas en este libro y déjela secar.

2. Pinte sobre la primera capa con acrílico mezclado con gel. No es necesario que pinte la obra entera.

3. Utilice la punta del mango de un pincel o de cualquier otra herramienta y raye dibujos o palabras en la pintura.

   - **Frote pintura en las rayas recién creadas:** Si lo desea, una vez que se haya secado bien la pintura rascada, extienda otra capa de un color que haga contraste. Luego, antes de que la nueva pintura se seque, utilice un papel de cocina húmedo para retirar el exceso dejando sólo la que haya penetrado en las zonas arañadas (véase el capítulo 10).

ROSWELL ASSOCIATION OF GRIEF COUNSELORS *annual report*

IMPRESIONES CON TÉCNICA DE RAYADO SOBRE PAPEL DE CONGELAR

Utilice papel de congelar e imágenes creadas con pintura acrílica rayada como tampones para estampar otras cosas y obtener otros efectos.

1. Añada gel o líquido acrílico para esmaltes a la pintura acrílica a fin de que dure húmeda más tiempo. Pinte con el acrílico sobre papel de cera o el lado satinado de un papel de congelar, del que se compra en las tiendas de comestibles o en la carnicería.

2. Mientras la pintura acrílica está húmeda y viscosa, utilice un objeto puntiagudo para dibujar motivos en la pintura, escribir palabras de derecha a izquierda, dibujar figuritas pequeñas, arañar texturas, etc.

3. Mientras la imagen esté todavía muy húmeda, déle la vuelta al papel y utilícelo como si fuera un sello de goma para estampar otro sustrato pintado, frotando ligeramente. Dependiendo de lo mojado que esté, quizá pueda estampar un motivo o dos sobre dos o tres sustratos más, incluido alguno de sus diseños de acuarela u obra artística en papel de cocina. Cada estampado va ganando en abstracción.

El punto es que se pueden rayar y rascar en una superficie mojada para desarrollar más texturas, para escribir palabras, para crear mensajes subliminales, etc. Combine esta técnica con otras del libro, la posibilidades son infinitas. ~R

20. Esponjar la pintura

Nada supera a las esponjas naturales a la hora de crear algunas de las texturas más grandiosas. Puede comprar estas maravillas por lotes en una tienda de arte o encontrar algunas variedades realmente especiales y magníficas en las tiendas de belleza, droguerías y también en algunas herboristerías y tiendas de comida sana.

Si no tiene esponjas naturales a mano, cualquier estropajo de espuma viejo que tenga por la cocina servirá. ~R

La técnica del esponjado es sencilla, pero para sacarle realmente partido hay que estar muy pendiente del grado de humedad del papel y de la cualidad de liquidez de la pintura, lo cual requiere un poco de práctica.

Si todo está demasiado mojado, el resultado son fusiones de tono suaves pero no textura. Si todo está demasiado seco, los colores a veces no se combinan y al final lo que acabamos obteniendo es una textura demasiado zarzosa y enmarañada.

Como diseñadores gráficos, muchas veces tenemos que insertar textos en las páginas y si las texturas son demasiado tupidas complican mucho el trabajo y la lectura. Mi consejo es que dedique algún tiempo a experimentar hasta que le coja el tranquillo.

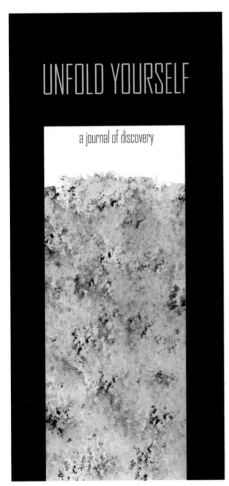

Cuando haya creado varias páginas con esponjado de color, ya verá qué rápidamente les encuentra un sinfín de aplicaciones prácticas en sus trabajos de diseño.

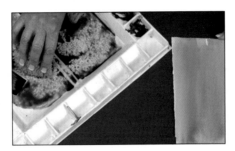

1. Empiece con una hoja seca de papel de acuarela o una pintura aguada seca de valor entre ligero y medio.

2. Mezcle una paleta de pintura más oscura y ligeramente densa.

A mí me gusta mezclar mis propios colores. En la siguiente figura estoy preparando un tono azul violáceo mezclando un poco de Alizarin Crimson con mi azul ultramarino. No obstante, no los mezclo totalmente, porque mi intención es obtener toda clase de tonos y sombras en las puntitas de mi esponja.

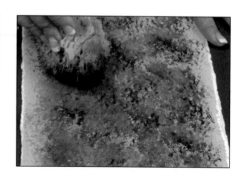

3. Moje con un golpecito ligero la esponja natural en la pintura densa y "estampe" suavemente sobre el papel. A veces, creo estampados individuales y distintos, pero otras me desplazo por toda la acuarela superponiendo marcas aquí y allí para crear una textura.

4. Espere a que se seque la primera capa y luego repita el proceso con varias capas de colores o tonos diferentes hasta conseguir un bonito efecto multidimensional.

Algunas veces buscamos un efecto más suave y sutil. En estos casos, lo mejor es empezar con una hoja ligeramente húmeda de papel de acuarela o una pintura aguada ligeramente húmeda y preparar la pintura un poco más diluida. Esta variación permite que los colores se combinen levemente y da una textura más cohesionada.

Consulte también el capítulo 18 sobre cómo verter acuarelas para conseguir preciosos degradados de color.

Bon Voyage Party!

Join us to wish "bon voyage"
to
Jered & Larissa
as they head to Brazil
for a three-month adventure!

Friday, September 25
9–midnight
1884 Bakersfield
South Lake Tahoe

RSVP
carmen@comcast.com

Uno de los recuerdos más entrañables de mi infancia es estar de pie en el mercado de Atenas con mi madre y mis dos hermanas pequeñas comprando esponjas a un encantador señor griego que parecía haberse escapado de una película: pelo blanco, bigote largo y, por supuesto, el sombrero griego de rigor. ~C

The Crest

gear for the serious climber

20% off all

Ropes
Ascenders
Carabiners
Camming devices
June 12–28th

1267 Main Street
South Lake Tahoe
510.433.7856

BAGIA
ACTIVE BOARDWEAR

En Photoshop, he superpuesto la foto de una montaña a la imagen de la textura elaborada con esponja y he seleccionado la opción Luz lineal del menú emergente Configurar modo de fusión para capa. Luego, en InDesign he reducido el valor de opacidad de la textura de esponjado en el resto del anuncio al 20 por 100. Imágenes cortesía de iStockphoto

Para esta etiqueta colgante, he superpuesto en InDesign una página de textura hecha con esponja sobre una acuarela suave para poder jugar con la interacción de color y posición y obtener una rica fusión de cielo y agua. Imágenes cortesía de iStockphoto

21. Salpicar la pintura

La técnica del salpicado crea efectos muy interesantes. Por supuesto que es posible utilizar Photoshop o Illustrator para generar este tipo de texturas, pero ni el aspecto es exactamente el mismo que cuando se emplea pintura o tinta de verdad ni es tan divertido.

Sobre papel se pueden obtener mil y un efectos diferentes dependiendo de las herramientas que se elijan, del grado de humedad o sequedad del sustrato y del grado de densidad o liquidez de la pintura o tinta.

A mí me encantan los salpicados porque son vigorosos y dan sentido de movimiento a las cosas, ya que funden con dinamismo colores y pinturas. Para hacerlos, saco sobre la mesa mis pinturas y mi viejo y fiel trapo de tela y me alejo todo lo que puedo de las paredes blancas y de mi meticuloso marido. A menudo, para obtener salpicados realmente magníficos hay que mover mucho los brazos en movimientos oscilantes y, como me da miedo manchar los muebles, suelo ser bastante comedida, por lo que mis salpicados suelen ser bastante recatados.

EFECTO UNO

Una de las formas más fáciles de hacer un salpicado es impregnar el pincel con mucha pintura acuosa y golpearse la mano mientras se sostiene el pincel sobre el papel. Yo suelo usar mi medio favorito, las acuarelas, pero los acrílicos también van muy bien.

EFECTO DOS

Extienda una pincelada húmeda de agua o color sobre el papel de acuarela y espere a que el brillo de la humedad haya desaparecido. Moje un cepillo de dientes, una brocha de cerdas tupidas u otra herramientas en pintura densa y salpique sobre el papel con los dedos, con un pincel o agitando los brazos con un movimiento oscilante. Si el papel sigue estando lo bastante húmedo, las salpicaduras crearán bordes "sangrantes" muy interesantes.

EFECTO TRES

Yo no suelo usar muchas acuarelas de colores opacos, pero sí el color blanco y, sobre todo, para esta técnica de salpicado. Siempre guardo una botella de blanco opaco de Dr. Martin a mano porque ya viene mezclado y listo para usar. Sólo hay que utilizar el cuentagotas de la botella y escurrirlo sobre el papel.

Ejemplos de brochas.

Me gusta superponer capas de salpicados, sobre acuarelas húmedas, sobre papel seco, sobre salpicados de pincel, sobre salpicados hechos con cepillo de dientes y, a veces, para la última capa suelo reservar una de rotulador opaco. ~C

EFECTO CUATRO

Utilice líquido enmascarillador (que se puede comprar en botes pequeños en las tiendas de arte) para salpicar sobre el papel blanco. Espere a que se seque y luego aplique el color. Verá que todas las zonas con líquido enmascarillador conservan el blanco del papel.

También puede pintar con acuarela sobre el papel y esperar a que se seque completamente. Luego, salpique el líquido enmascarillador, espere a que se seque y pinte sobre la zona con una acuarela más oscura. Espere a que la nueva pintura se seque también y luego emplee el aplicador de pegamento de hule para rascar el líquido enmascarillador (como se explica con más detalle en el siguiente capítulo).

EFECTO CINCO

Hay algunos lápices y rotuladores opacos que funcionan muy bien como herramientas de salpicado. Sólo hay que agitarlos y darles una buena sacudida para que lancen la tinta sobre el papel. Los rotuladores metalizados son geniales, pero hay más colores. Los blancos opacos, por ejemplo, son mis favoritos.

Por supuesto, también puede utilizar acuarelas o pinturas acrílicas opacas, pero los rotuladores son más prácticos y los resultados son más conseguidos.

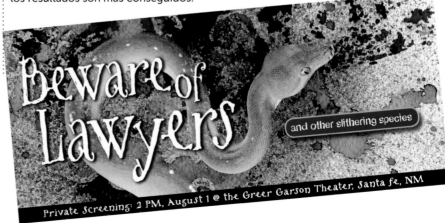

La obra de pintura salpicada sugiere la imagen de una playa en este diseño de promoción de un protector solar.

Quería dotar a este fondo de una sensación de mucha energía, así que utilicé una variedad de técnicas, incluidos el esponjado, el salpicado, la pintura resistente y un poco de pulverizado.

22. Pintar con agentes resistentes

Utilice un líquido enmascarillador artístico como agente resistente a las acuarelas: pinte sobre el líquido resistente, espere a que se seque y luego aplique pintura sobre él. Las zonas impregnadas de ese agente resistente no quedan cubiertas por la pintura, porque reacciona a ella.

Hay muchos materiales gomosos líquidos de este tipo. A veces se les llama "enmascarilladores líquidos".

El líquido incoloro se seca transparente, pero hay personas que prefieren los que se secan con color para ver bien las zonas que lo tienen aplicado y las que no. Mi líquido enmascarillador favorito es el de Winsor & Newton. Nunca he tenido problemas con esta marca, pero he visto algunos productos de otras marcas que sí arruinan la superficie de las pinturas, algo muy frustrante. Por eso, compruebe bien la resistencia del papel antes de aplicar un producto que no conozca a uno de sus trabajos.

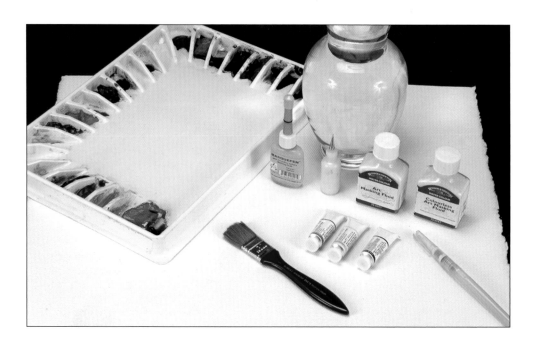

CUIDE SUS PINCELES

El líquido enmascarillador artístico causa estragos en los pinceles porque se seca muy rápido y se queda pegado en la pieza metálica que sujeta las cerdas. Por eso le recomiendo que reserve algunos sólo para esta técnica, a fin de no destrozarlos todos. Asegúrese de lavarlos bien inmediatamente después de cada uso con agua y jabón. También puede utilizar un lápiz enmascarador, como el de la marca MasquePen, en lugar de un pincel impregnado en líquido enmascarillador. Eche un vistazo en su tienda local de arte o manualidades. Verá que funcionan igual de bien.

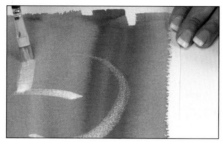

1. Empiece con una hoja seca de papel de acuarela. Puede utilizar líquido enmascarillador para cubrir una superficie ya pintada, pero asegúrese siempre de que esté bien seca antes de aplicarlo.

Si no tiene un aplicador para pegamento de hule, no se tarda nada en fabricar uno. Vierta un poco de pegamento de hule o de líquido enmascarillador en un trocito de material y espere a que se seque. Luego enróllelo y ya tiene un aplicador.

2. Con el líquido enmascarillador, pinte la zona de color que desee conservar.

   Espere a que se seque bien o utilice un secador de pelo para acelerar el proceso.

3. Cuando todo esté bien seco, pinte encima del líquido enmascarillador con la siguiente capa de pintura húmeda.

   Resista la tentación de retirar el líquido enmascarillador para ver el aspecto de su obra antes de que se haya secado todo bien. Si utiliza el aplicador de pegamento de hule demasiado pronto y empieza a levantar la máscara, las zonas que no estén bien secas pueden emborronarse y arruinar el efecto.

4. Puede aplicar las capas de enmascarillador y de pintura como más le guste para obtener el resultado deseado. Por ejemplo, puede salpicar un poco de agente resistente sobre la página. Sólo hace falta un poco de paciencia y esperar a que se seque todo bien (de nuevo, no espere más de 24-48 horas).

5. Por último, cuando haya terminado la obra y todo esté absolutamente seco, coja el aplicador de pegamento de hule o el borrador suave y frote con cuidado sobre el agente resistente desecado. Verá que se levanta formando pequeños hilitos de goma (no voy a decir cómo llamamos a estas miguitas en clase).

CERA RESISTENTE

La cera llevan utilizándola años los artistas del batik como agente resistente.

A mí me gusta utilizarla sobre papel de acuarela en bruto o prensado en frío porque resalta el toque artesano.

A diferencia del estilo batik, en este proceso la cera no se funde, sino que se utiliza en frío. La cera es fácil de usar, siempre que no olvidemos que una vez extendida sobre una zona no hay vuelta atrás. Es decir, ya no se puede quitar para que el papel siga aceptando pigmentos.

No utilice un secador de pelo para secar la pintura si no quiere que la cera fundida manche la superficie del papel.

1. Empiece con una hoja seca de papel de acuarela. Puede utilizar una superficie ya pintada. Lo importante es que esté seca.

   Coja el extremo de una vela blanca, un trozo de parafina, un lápiz de cera incoloro de un lote de ceras para colorear huevos o cualquier otro tipo de cera que encuentre y dibuje las formas o diseños que desee sobre el papel.

   Presione con fuerza pero sin pasarse para que la cera no se deshaga en granitos sobre la obra.

2. Pinte sobre el dibujo con acuarelas o pinturas acrílicas rebajadas. Verá cómo los trazos de cera resisten la pintura.

Mire cómo un primer plano de la textura resistente a cera aumenta el interés y la riqueza de la cubierta de este CD de Lauren. En comparación, la cubierta original resulta más sosa.

One Bright Morning

UTILIZAR FORRO DE ESTANTES COMO AGENTE RESISTENTE

¿Los estantes de la cocina de su casa estén protegidos con un forro de esos autoadhesivos que se pegan solos? Pues ese mismo puede servir también como agente resistente. Si tiene forro transparente, genial, y si no, utilice el que tenga. Al final lo va a despegar de todos modos.

1. Use un sustrato sobre el que ya haya aplicado una capa de pintura u otro tipo de técnica. O bien cree una nueva obra de pintura.

2. Recorte formas en las láminas de forro adhesivo.

3. Pegue las formas con cuidado sobre el sustrato pintado.

4. Vuelva a pintar la página con acuarelas o acrílicos (dependiendo del sustrato que esté utilizando). Puede usar el mismo color o uno completamente distinto. No pasa nada si la pintura penetra debajo de los bordes. El resultado al final son unos bordes texturizados muy originales. Cuando esté todo seco, pele el forro.

   - De hecho, hay una técnica parecida que consiste en asegurarse de que entre la pintura debajo del forro. Amase la pintura debajo de la forma y luego retírela del resto de la página con un papel de cocina o un trapo.

   - Lo que queda debajo del forro habrá adoptado un color más oscuro en lugar de más claro.

También puede utilizar cinta adhesiva como agente resistente (como verá en el capítulo 25).

Esta técnica es aplicable a cualquier tipo de superficie sobre la que se pueda pintar: paredes, puertas, tazas grandes, etc. No se limite al papel. Es diseñador gráfico, no lo olvide, así que dé alas a su imaginación y piense en qué otros objetos podría fotografiar o digitalizar para su obra de textura.

El sustrato de esta figura está preparado para aplicar otra técnica o para digitalizarse y utilizarse en un proyecto.

Primero, he pintado esta pequeña obra con un color cremoso, luego le he aplicado formas casi cuadradas de forro autoadhesivo y lo he pintado todo de amarillo. Cuando he pelado los trozos de forro, los he esponjado un poco con una esponja impregnada en pintura amarilla para que no se viera todo tan perfilado. Después, he pintado los objetos verdes sobre un trozo de papel de congelar y he utilizado éste para estampar las formas sobre el papel (véase el capítulo 19). Ahora lo único que parece faltarle a esta obra para relatar una historia es un poco de detalle con tinta y figuras de collage (véase el capítulo 40).

23. Combinación de técnica de estampado de pintura con agente resistente

Hacer estampados con distintos materiales y herramientas y utilizando acuarelas o acrílicos es súper divertido y puede ser el punto de partida para infinidad de experimentos. Los resultados son siempre páginas interesantes y coloridas que luego puede aprovechar para incorporar a sus diseños digitales.

Yo suelo fabricar mis propios sellos para estampar con cosas que me voy encontrando por ahí. Por supuesto, también se pueden comprar en las tiendas de arte, donde encontrará miles de imágenes iconográficas perfectas para muchos de sus proyectos, pero personalmente encuentro que la mayoría son demasiado cursis para un diseñador serio. Yo tengo algunos sellos batik de Indonesia y de vez en cuando utilizo imágenes geométricas o tipo logo de la tienda de bricolaje. Pero, casi siempre, fabrico mis propios sellos con cosas que encuentro en el estudio, el garaje, la cocina o el jardín...

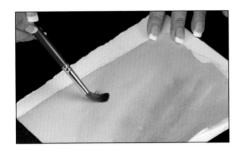

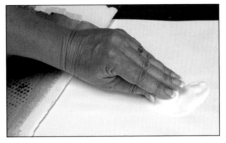

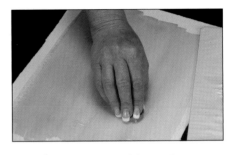

1. Extienda una capa de pintura húmeda de un color tirando a oscuro sobre un papel de acuarela y deje que se seque, pero no del todo.

2. Mezcle un poco de medio mate y agua en la paleta o en un plato.

- Para crear un motivo perfectamente definido, agregue al medio muy poca agua o ninguna.

- Para crear una imagen abstracta, mezcle la misma cantidad de agua y de medio mate.

Sumerja el objeto de estampar en la mezcla de medio mate. Aquí yo he utilizado un pequeño círculo de espuma de esos que vienen en las cajas de CD.

3. Estampe con suavidad pero firmeza sobre la capa de pintura todavía húmeda.

Los objetos hechos de espuma funcionan muy bien como sellos de estampar con esta técnica porque absorben la cantidad justa de medio mate y de acuarela para sostener el color.
Los sellos de las tiendas de arte diseñados para estampar paredes con pinturas acrílicas están fabricados con una espuma bastante dura en lugar de caucho.

Utilice como sello para estampar cualquier cosa con el potencial de crear un motivo o una textura.

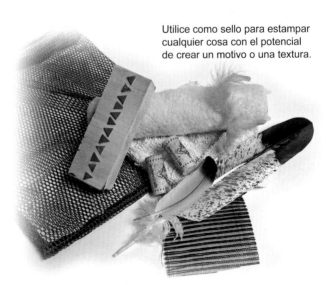

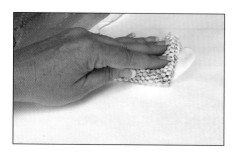

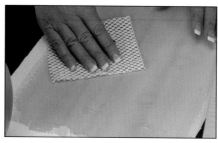

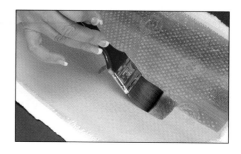

4.   Pruebe a estampar con otros objetos que encuentre por la casa. En este caso, he utilizado una lámina esponjosa de ésas para forrar cajones con un motivo de rejilla interesante.

5.   Superponga sus formas para crear una textura abstracta y espere a que se seque todo completamente. Todavía es demasiado pronto para que se vean bien los estampados.

6.   Pinte la obra con una pintura húmeda más oscura y verá cómo empiezan a revelarse las imágenes estampadas en el momento en que el medio mate empiece a actuar como agente resistente.

7.   Para aumentar la sensación de profundidad de la obra, añada más estampados con pintura más oscura. Cuando esté todo seco, embadurne los objetos que haya escogido como sellos con pintura más oscura y más densa y estámpelos sobre el papel.

8.   Como todos los diseñadores gráficos sabemos, con la repetición siempre se gana, así que vuelvo a estampar un círculo pequeño. Puede hacer esto con o sin el medio mate, dependiendo de si tiene intención de volverlo a pintar todo otra vez después.

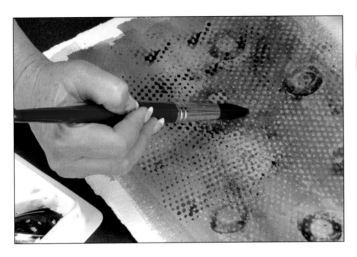

9. Como último paso, me gusta fundir algunas de mis formas y bordes con un poco de pintura y agua para dar un poco de cohesión a la obra.

Los acrílicos, cuando se secan, se transforman en plástico y se tornan impermeables al agua, por lo que este paso no afecta a la pintura subyacente.[9]

De todas las cosas que se pueden utilizar como sellos para estampar, no olvide esas finas láminas de espuma blanda que se pueden comprar en las tiendas de materiales de arte.

Recorte los bordes, enrolle la lámina y empiece a estampar. O bien, recorte formas para usar como sellos, péguelos sobre tacos de madera o en la base de tazas de café. La espuma es fantástica para esta técnica con agente resistente.

24. La pintura y la lejía

Con la lejía se pueden crear preciosas líneas descoloridas sobre fondos de acuarela. Estas líneas suelen tener los bordes oscuros y suaves, son perfectas para pintar sobre ellas con otros colores transparentes.

Con la lejía, extreme siempre las precauciones. Se come el papel igual que se come la ropa, así que no piense que puede aplicarla una y otra vez sobre la misma zona sin más. Si lo hace, lo más seguro es que acabe con un efecto cucú, ahora lo ves, cucú, ahora no lo ves, que quizá no sea lo que andaba buscando.

Tenga mucho cuidado. Personalmente, he tenido muy malas experiencias con la lejía. Asegúrese de no llevar puestos sus pantalones vaqueros favoritos, de no trabajar sobre la carísima alfombra persa del salón o de beber 7UP de un vaso exactamente igual al que esté utilizando para contenerla.

Por supuesto, no utilice sus mejores pinceles de acuarela. La lejía los destrozará delante de sus ojos y no podrá evitar el llanto cuando empiece a ver cómo se les caen las cerdas. Los pinceles de cerdas sintéticas parecen ser poco conscientes a los efectos de la lejía.

1. Extienda una buena capa de pintura húmeda espesa sobre una hoja de papel de acuarela. Esta técnica parece funcionar mejor cuando el color es más oscuro. Atrévase incluso con el negro.

2. Espere a que se seque bien o utilice el secador de pelo para acelerar el proceso.

3. Coja un lápiz o un bolígrafo que se pueda rellenar con líquido (los encontrará en las tiendas de arte) y rellénelo cuidadosamente con lejía.

4. Aplique marcas sobre la capa de pintura y verá cómo empiezan a salir, casi siempre con los bordes más oscuros. Por supuesto, el color que emerja dependerá de los pigmentos de la capa de pintura inicial. Por ello, cuando trabaje con lejía siempre es una buena idea experimentar antes en algo que no sea la obra final.

Quizá esté pensando en esos lápices de lejía a la venta en los supermercados. Yo los he probado y el problema es que, además de lejía, contienen detergente. Por desgracia para nosotros los artistas, esta mezcla no sólo produce imágenes emborronadas parecidas a manchas sucias sino que resquebraja las superficies. Me gustan mucho los efectos artísticos desastrados y roñosos, pero éste no es uno de ellos. ~C

No obstante, esos lápices de lejía son perfectos para las fotos. Siga leyendo al final de este capítulo.~R

Como alternativa a la lejía, pruebe a frotar alcohol de ése que seguramente guarde en el botiquín del cuarto de baño. O pruebe con algún spray limpiador multiusos. Aplíquelo sobre pintura húmeda y experimente emborronando la pintura con las salpicaduras. ~R

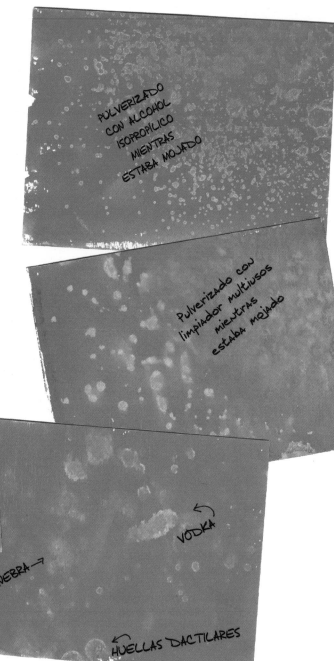

PULVERIZADO CON ALCOHOL ISOPROPÍLICO MIENTRAS ESTABA MOJADO

Pulverizado con limpiador multiusos mientras estaba mojado

Salpicado con →(con los dedos) lejía mientras estaba mojado

VODKA

GINEBRA→

HUELLAS DACTILARES

Todos estos experimentos están hechos con papel de acuarela mojado. Pero pruebe, si quiere, con los acrílicos. Sólo necesita tener un poco más de mano dura con lo que sea que vaya a rociar la pintura. Es importante que los acrílicos estén bien húmedos. ~R

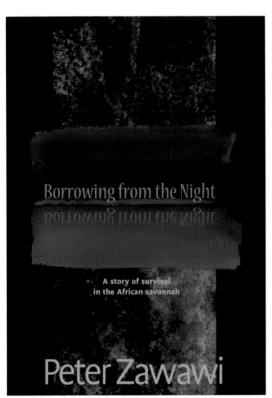

Para la portada de este libro he utilizado el proyecto de lejía que he creado al principio de este capítulo y he oscurecido un poco el color en Photoshop. Para el fondo he utilizado una tira de monoimpresiones creada por mí (véase el capítulo 13). ~C

LOS LÁPICES DE LEJÍA Y LAS FOTOGRAFÍAS

Esos lápices de lejía que se compran en las tiendas de ultramarinos y que estropean las acuarelas sí funcionan, muy bien por cierto, con las fotografías. Sólo tiene que dibujar sobre ellas, esperar unos minutos a que todo se asiente y luego retirar la lejía o enjuagarla debajo del grifo. Esta técnica funciona tanto con las viejas fotos que se llevaban a revelar a las tiendas de fotografía como con las que se imprimen en color en papel de foto directamente desde la impresora de casa. ~R

Para conseguir el efecto capeado de esta figura, John Tollett (el diseñador de estas carátulas de CD) dibujó primero las formas iniciales, después limpió la lejía y luego volvió a dibujar sobre las mismas formas para revelar más color.

Con un lápiz de lejía se puede hacer desaparecer completamente a alguien de una foto, por ejemplo a un ex-marido. En su lugar sólo quedará una forma blanquecina. Muy práctico. ~R

25. Precintar y pintar

Una técnica simple pero muy interesante es utilizar cinta adhesiva como esténcil. La cinta adhesiva se puede doblar y manipular para darle a los bordes un aspecto raído muy original. Sobre ella, puede aplicar capas de pintura húmeda y obtener efectos limpios pero texturales.

Si quiere un aspecto más desastroso, lea la otra técnica que utiliza cinta adhesiva en el capítulo 10. ~R

1. Empiece con una hoja seca de papel de acuarela. Puede utilizar una superficie ya pintada. Lo importante es que esté seca.

2. Corte tiras y formas de cinta adhesiva tipo papel crepé de baja adhesión y calidad archivo y péguelas sobre el papel de acuarela asegurándose de que los bordes se queden bien pegados.

   Si no tiene o necesita cinta de calidad de archivo, utilice cinta de celo normal.

3. Pinte sobre la cinta y espere a que se seque. Puede repetir este proceso cuantas veces quiera para obtener una textura capeada interesante.

EFECTOS RAYADOS CON CINTA

1. Para crear rayas originales en un sustrato, extienda algunas tiras de cinta adhesiva sobre una superficie prepintada.

2. Pinte ligeramente sobre el sustrato y la cinta.

3. Cuando esté seco, pele con cuidado la cinta. Puede que los bordes estén un poco difíciles, pero eso es bueno.

4. Si quiere fundir un poco las rayas con el fondo, añada esmalte de colores (mezclando pintura acrílica con líquido de esmaltado o medio mate) y pinte toda la zona.

26. Envolturas de plástico y pintura

Ésta es la técnica más fácil de todas, pero también una de las favoritas y la que proporciona resultados más moteados y sofisticados. Resulta bastante asombroso ver la cantidad de cosas que uno puede encontrar en la cocina (o el garaje) y que pueden servir perfectamente para conseguir efectos parecidos a los de los medios líquidos.

También sirven las pinturas acrílicas.

Utilizando esta técnica con pintura acrílica, he creado un precioso cielo nocturno para esta ilustración de The Shakespeare Papers. ~R

1. Extienda una buena capa de pintura húmeda espesa sobre una hoja de papel de acuarela o un lienzo.

   Esta técnica parece funcionar mejor cuando el color es más oscuro porque el efecto final es más visible. Las acuarelas cuando se secan son más claras que cuando están mojadas, así que tenga cuidado de no hacer nada demasiado estrafalario.

2. Coja un trozo de plástico de envolver del tamaño de su obra y póselo sobre la capa de pintura mojada.

 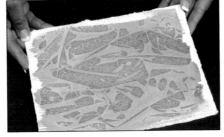

3. Amase el plástico por la pintura y asegúrese de dejar muchas arrugas por toda la superficie.

   Deje la obra secar al aire libre.

4. Cuando esté seco, pele con cuidado el plástico. Siempre es una sorpresa ver cómo se va revelando la textura.

   Por supuesto, escanéelo directamente para utilizarlo en otro diseño interesante.

Si no tiene plástico de envolver a mano, utilice una bolsa de plástico normal. Extiéndala por la pintura mojada, luego pélela antes de que se seque. O espere a que esté seco para obtener un efecto más encrespado. ~R

Imágenes cortesía de iStockphoto

27. Papeles de cocina y pintura

No se deshaga de esas toallitas de papel que utiliza y que luego deja abandonadas por la cocina o el estudio. Los papeles más resistentes con decoraciones y motivos tienen mil y un usos. Después de teñirlos de color, como explicaremos aquí, se pueden utilizar como fondos, en *collages* o en obras hechas con objetos reciclados.

Por eso, mientras trabaje en cualquier clase de pintura, guarde las toallitas que utilice para limpiar o retirar pintura: pulverícelas con agua, arrúguelas, póngalas a secar y ¡tachán, tachán! Una obra de arte.

Además, los motivos grabados funcionan muy bien como sellos porque aplican texturas rápida y fácilmente a la pintura.

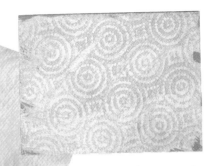

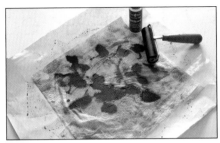

1. Para un motivo grande y general, extienda una de esas toallitas de papel con motivos en relieve sobre la pintura acrílica húmeda, déle ligeros golpecitos con la mano para que el motivo se incruste en la pintura y luego retírela.

2. Mientras la toallita esté todavía húmeda de pintura, utilícela como sello en otro proyecto o en más de uno.

1. Tiña algunas toallitas de papel con acuarelas o acrílicos. Dóblelas, enróllelas o rodéelas con trocitos de cuerda y moje secciones de ellas en pequeños cuencos de pintura aguada, como si estuviera tiñendo una camiseta.

2. Desdoble la toallita. Si es necesario, rocíela con agua para que se fundan bien los colores.

1. En papel de seda o en la parte satinada de un papel de congelar, pinte con color aguado o con acrílicos bastante diluidos. Extienda una toallita de papel sobre la pintura. Pulverícela, frótela o amásela (o las tres cosas a la vez) hasta que se empape bien de pintura.

2. Si absorbe demasiada pintura, apriétela o comprímala contra otro sustrato.

3. Si la toallita de papel es de doble hoja, separe las dos hojas y así tendrá dos. Las hojas más finas se pueden utilizar como el papel washi en la técnica del capítulo 12.

Lejos: He utilizado un papel de cocina para crear la textura que sirve de fondo a esta ilustración. Luego, he añadido una capa de gel teñido de color y he hecho algunos arañazos en la superficie para crear la ilusión óptica de lluvia.

Cerca: El papel de cocina es en sí el fondo, pegado con gel. He añadido una capa de gel teñido encima y he arañado la superficie para agregar más textura.

Combinar técnicas

Combine las posibilidades. Estas páginas se han lavado, salpicado, soplado y estampado. En ellas hay rastros de hojas, acuarelas metalizadas, esténciles de la tienda de material de oficina y sellos comprados. Mientras se dedica a lanzar pintura a diestro y siniestro, puede crear un buen montón de páginas y guardarlas en los archivos para proyectos futuros, incluidos *collages* o ilustraciones hechas con objetos reciclados. O recortarlas a modo de mosaicos. ¡Son tantas las posibilidades! ~R

Proyectos de papel y metal

El papel es la base de la industria del diseño gráfico. En esta sección, trataremos varias técnicas centradas específicamente en él, incluido cómo fabricarlo uno mismo. El metal... ¿a quién no le gustan las cosas que brillan? Sólo hay que contemplar aquellos iluminados manuscritos de la antigüedad clásica para ver palabras escritas decoradas como si fueran joyas preciosas.

A mí me gusta incorporar un toque de metal en mis trabajos. A veces me cuesta contenerme, porque la tentación de embadurnar todo con colores metalizados, pinturas brillantes o gotitas de oro es casi siempre demasiado insoportable. No obstante, si se usan con moderación y prudencia, estas técnicas son perfectas para añadir capas y dimensiones inusitadas a más de un proyecto de diseño.

Papel y metal

Juegue con uno de los símbolos más físicos del diseño.

28. MARMOLEADO DE PAPEL

El marmoleado del papel es una técnica que lleva siglos entre nosotros. Sólo hay que visitar una tienda de libros antiguos y contemplar el terminado del papel de sus páginas para ver los resultados de esta maravillosa y antigua técnica.

30. COLLAGES CON METAL

Añada un toque muy especial a sus diseños digitales aplicando técnicas sencillas de metalizado.

29. COLLAGES CON PAPEL

El montaje de *collages* es una manera creativa e intrigante de buscar pedacitos y texturas para ir dando forma poco a poco a una idea.

31. FABRIQUE SU PROPIO PAPEL

Fabríquese su propio papel. Incrústele partículas que creen una relación especial entre el fondo y el tipo de material de base sobre el que esté trabajando. Preparar papel crea bordes desvanecidos y opacidades irregulares muy interesantes que aumentan la sensación de profundidad de los trabajos de diseño digital.

32. ESCULTURAS DE PAPEL EN 3D

Antes de guardar la cuba y la batidora que haya utilizado para fabricar papel, aproveche y cree algunos objetos tridimensionales en papel para futuros diseños.

35. IMÁGENES CON PINTURA METALIZADA

Utilice colores metalizados baratos para simular brillos dorados (pan de oro). Pruébelo con letras, imágenes, zonas esculpidas de un *collage* y muchas cosas más.

33. TÉCNICA DE GOLPE SECO SOBRE PAPEL

Simule el caro acabado de la técnica de golpe seco donde la imagen no se imprime, sino que es el papel el que se eleva para crear una imagen sutil pero táctil.

36. CREAR RELIEVES CON MATERIALES PULVERIZADOS

Con polvos de realce y una pistola de aire caliente se pueden crear elementos artesanos y manuales con un toque de elegancia. Es una técnica sencilla que se puede aplicar a mano a esos proyectos de plazo muy corto.

34. ESTAMPADO DE ORO SOBRE PAPEL

Pinte una imagen en altorrelieve o bajorrelieve con pintura metalizada para crear un efecto como troquelado.

28. Marmoleado de papel

Para marmolear papel hay que poner a flotar pintura de marmolear sobre agua especialmente preparada y mojar el papel en esa capa de pintura flotante.

La técnica de marmoleado tradicional es un proceso muy trabajoso que desprende un olor muy fuerte y que puede ser bastante tóxico. Por supuesto, los resultados son más impresionantes con la técnica tradicional pero, dado que normalmente no suelo tener ni el tiempo, ni los materiales ni la paciencia olfativa para ello, prefiero aplicar un enfoque más manejable y benévolo.

Si colocamos pintura, incluso de tipo óleo, sobre agua normal, la pintura se hunde al instante. En el marmoleado tradicional, hay un material llamado musgo de Irlanda (un alga comestible) que al hervirlo y curarlo produce lo que se conoce como "agua pesada". En esta agua, la pintura no se va al fondo, sino que queda flotando en la superficie el tiempo suficiente para crear un diseño y trasladarlo al papel.

Por desgracia, este maravilloso musgo de Irlanda huele a huevos podridos y mi amor al arte tiene un límite, así que prefiero utilizar un material sintético, el Methocel, para producir mi propia agua pesada. Además, encuentro que el óleo es demasiado engorroso (incluso para mí), así que en su lugar empleo unas tintas acrílicas de marmoleado especialmente formuladas que arrojan resultados bastante satisfactorios.

El papel ligero de impresión BFK funciona muy bien como sustrato porque no tiene textura y es capaz de resistir las múltiples aplicaciones de agua inherentes al proceso de marmoleado.

Antes de marmolear, prepare el agua pesada y disponga el papel y la pintura.

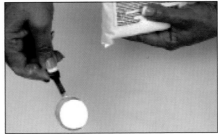

1. Para preparar el agua: Mezcle unos 30-45 ml de Methocel con 4,5 litros de agua a temperatura ambiente en una bandeja grande y plana

2. Añada una cucharada de amoniaco (puro, sin jabón) y espere unos 20 minutos hasta que se asiente.

   - Mientras el agua pesada se está procesando, prepare el papel para que acepte el marmoleado (consulte los siguientes pasos).

3. Para preparar el papel: Prepare una solución con una cucharada de polvo de alumbre en un cuarto de agua caliente y pulverice con ella el lado del papel que vaya a utilizar para mojar la pintura. Esto hace que el papel absorba menos agua y, por tanto, más pintura.

4. Espere a que el papel se seque y, mientras, prepare la pintura. Si quiere, puede utilizar un secador de aire para acelerar el proceso.

5. Para preparar la pintura: La pintura de marmoleado debe estar diluida en su punto preciso, cremosa al cincuenta por ciento. Si no tiene la consistencia exacta, no se asentará bien sobre la superficie del agua pesada, sino que se hundirá posándose directamente al fondo de la bandeja.

Para que la pintura flote, puede añadir una o dos gotas de aditivo dispersante Versatex o de hiel de buey.

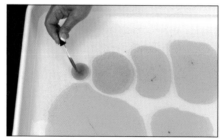

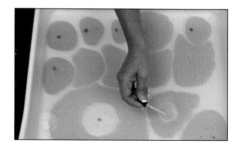

6. Añada la pintura al agua. Utilice un cuentagotas para crear un diseño sobre la superficie del agua dejando caer pequeñas cantidades de la pintura acrílica diluida.

Al soltar la pintura, procure acercar la punta del cuentagotas todo lo posible a la superficie del agua para que la fuerza de la gravedad no impulse la mayor parte del color al fondo de la bandeja. De este modo, la pintura se extenderá formando círculos.

7. Los primeros colores se dispersarán formando como rosquillas. Aproveche estas rosquillas y rellénelas con otros colores.

Cuando estuve en Venecia me quedé completamente absorta al contemplar los maravillosos papeles marmoleados a la venta en todas las tiendas. Los colores y los motivos eran tan viejos como las piedras. Por supuesto, como buena cosista que soy, quise traérmelos todos a casa para mi colección personal. De hecho, conseguí hacerme con tres hojas y aún hoy sigo utilizándolas como inspiración para marmolear mis propias páginas. ~C

8. Dado que necesitamos que la superficie esté llena de color, siga soltando pintura con el cuentagotas sobre el agua pesada hasta conseguir una bandeja completamente multicolor.

9. Cuando tenga suficientes colores en la bandeja, coja un pincho de brocheta, un palillo, un peine de marmolear u otra herramienta y bátalo todo bien en forma de remolino.

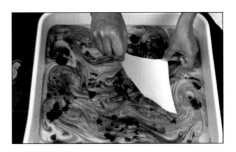

10. Moje el papel. Para ello, coja la hoja de papel seco, sujétela con cuidado y acerque el lado que tiene el polvo de alumbre a la superficie del agua, de esquina a esquina.

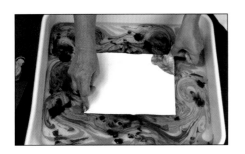

11. Asegúrese de que el papel entre en contacto con la superficie y el color.

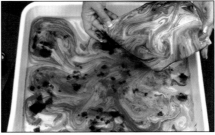

12. Levante rápidamente el papel y enjuague los residuos limosos con agua fría sujetando con cuidado el papel debajo de un chorrito muy suave de agua corriente. No utilice un atomizador de orificios anchos porque estropeará el marmoleado.

13. Ya está. Ya puede colgar la hoja de papel a secar como si fuera una camisa recién sacada de la lavadora. También puede acelerar el proceso, si quiere, utilizando un secador de pelo.

Algunas veces las hojas secas se pandean un poco. Esto normalmente no es un problema, pero si necesita que la hoja esté completamente plana, pulverice ligeramente el dorso con agua, introdúzcala entre dos hojas de papel y póngala bajo un montón de libros pesados toda una noche.

29. Collages con papel

Las herramientas y materiales que se utilizan para crear este *collage* incluyen tanto artilugios típicos de artistas e ilustradores como objetos más propios de artesanos y montadores de álbumes de recortes aficionados. Con esta técnica tenemos la oportunidad de usar, además, materiales poco ortodoxos que producen marcas con forma de manchas o zonas descoloridas.

En el papel que tenga pensado utilizar como base para su *collage,* sea osado y atrévase a dar un paso más allá. Experimente y cree efectos con lejía, cera para lustrar zapatos, rotuladores, pasteles, lápices de colores, ceras de colores, tintas y todo lo que se le ocurra. Desarrolle sus propias técnicas con superficies inusuales y no dude en estropear/destrozar/embellecer obras de todas clases.

MATERIALES PARA COLLAGE

Haga acopio de un abundante y variado surtido de papeles y otros materiales para utilizar en sus *collages*. Yo siempre estoy buscando retales, fragmentos y restos de cosas. Corto texturas de revistas e investigo papeles extraños allá dónde voy. Compro viejas partituras musicales, mapas, recibos de tiendas de antigüedades. Me encantan, por ejemplo, los papeles orientales de los mercaditos asiáticos. Guardo incluso los papelillos de colores o el confeti de las cabalgatas de Disneylandia. Luego lo organizo y lo etiqueto todo en soportes de archivo portátiles para tenerlo a mano cada vez que se me pone en marcha el motor de la inspiración.

Para crear un *collage* no hace falta mucho: papeles, una buena estera para cortar, un filo recto de metal, utensilios de corte, un pincel, un poco de pegamento y algo sobre lo que pegarlo todo al final. Pero, por encima de todo, lo que hace falta es una actitud creativa y apasionada, y las ganas de experimentar.

LOS PROBLEMAS DEL COPYRIGHT

Evidentemente, como collagista, nadie quiere acabar en la cárcel por infringir los derechos de autor de obras originales, así que tenga siempre mucho cuidado con cualquier material ajeno que "tome prestados". Si es usted estudiante y está trabajando en un proyecto de clase, quizá esto no le afecte demasiado. Seguramente no sea su intención publicar y hacer dinero con sus obras, probablemente tampoco tenga el presupuesto para comprar fotografías y otras muestras de arte. Pero, si es un usted un profesional, asegúrese siempre de pagar los derechos de cualquier imagen o elemento gráfico que utilice, a menos que recurra a fuentes de materiales libres de derechos. Una regla de oro es saber siempre cuál es el origen de los materiales que uno utiliza en los *collages*.

Mantenga los ojos abiertos a todas las posibilidades que brinda el papel y consulte el apéndice para ver fuentes de imágenes gratuitas o baratas con las que trabajar.

Como diseñadora, siempre me han encantado los collages. Tienen un aire moderno, directo y divertido. Me enamoré del trabajo de Kurt Schwitters la primera vez que vi sus preciosas obras de la década de los treinta. Muchos de mis dibujantes favoritos son collagistas. Adoro las texturas, las esquinas torcidas, los recortes a mano alzada, los objetos efímeros con letras encima, las fotografías, todas esas cosas que utilizan los artistas del collage para crear sus grandes obras.

Por supuesto, las posibilidades de Photoshop para crear fotomontajes son infinitas. De hecho, incluye algunas herramientas que están totalmente fuera del alcance de los artistas humanos, como las transparencias. No obstante, en favor de los materiales artísticos y de los actos de trocear, rasgar, salpicar, pegar y pintar diré que los resultados podrán ser perfectos, arenosos, sucios, caóticos, meticulosos, etc., pero siempre muy humanos.

~C

CREACIÓN DE PAPELES PARA COLLAGE

Una forma de crear muchos de sus papeles es colorearlos usted mismo. Las acuarelas y los acrílicos son geniales para colorear y crear texturas en una gran variedad de papeles, no tiene más que comprobar la multitud de técnicas que aparecen en este libro.

Una de las maravillas de pintar motivos personalizados en papel de acuarela es la posibilidad de crear preciosos bordes imperfectos que dan gran contraste y textura a las ilustraciones.

Experimente con salpicados de pintura, tinta, rotuladores metalizados y rotuladores de pintura opaca.

Frote carboncillo, pasteles, lápices de colores o sellos de tinta Distress Ink sobre hojas de papel en sucio o texturas que haya creado para producir sus propios materiales especiales.

Asegúrese de guardar todos los borradores y versiones en sucio de todos sus proyectos. Hasta lo más insignificante tiene valor para un collagista. Yo guardo los pequeños trozos de cosas en carpetas debidamente etiquetados.

Robin guarda las cosas amontonándolas unas encima de otras.

Carmen utiliza carpetas perfectamente organizadas y etiquetadas.

SUSTRATOS PARA COLLAGE

Además de los papeles que encuentre, cree o compre por ahí, necesita soportes sobre los que apoyarlos y pegarlos. Como sustrato puede utilizar prácticamente cualquier cosa: madera, metal, lienzo, papel de acuarela, cajas, etc. Lo único es que se asegure de emplear el tipo de adhesivo adecuado para cada una (como le indicamos más adelante).

HERRAMIENTAS DE CORTE

Dada la gran difusión y éxito de los álbumes de recortes, hay multitud de artilugios para cortar disponibles a la venta en muchas tiendas. Hay guillotinas con hojas de repuesto de todas clases y formas, máquinas de troquelar capaces de cortar círculos perfectos, cuadrados y otras formas originales, incluso una gran variedad de tijeras con los filos de las hojas en zig-zag (véase el capítulo 4). Pero, si bien está clara la utilidad de muchas de estas herramientas para el diseñador de *collages,* no abuse de la cursilería si quiere crear obras de ilustración serias.

Además, no olvide tener en cuenta el coste. ¿Con qué frecuencia utiliza usted en realidad una máquina que perfora orificios con forma de copos de nieve en sus *collages*? Personalmente, prefiero pegar formas geométricas simples y utilizar herramientas más o menos flexibles y adaptables a distintos usos, por ejemplo, un utensilio con el que poder cortar circunferencias de círculos diferentes. De todas formas, muchas de estas herramientas de bricolaje son perfectas para aplicaciones de diseño gráfico, no sólo para el diseño digital, sino también para crear montajes en 3D y mostrar a un cliente una versión rápida de, por ejemplo, unas invitaciones hechas a mano. Por eso siempre estoy alerta a las últimas novedades en artilugios de corte.

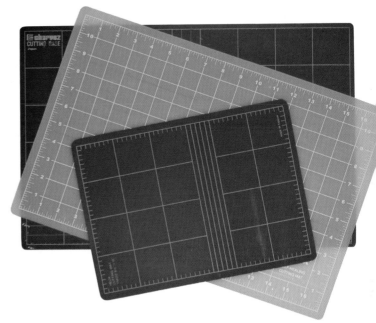

ESTERA DE CORTAR

Es indispensable tener una buena estera para cortar sobre ella. En las tiendas las encontrará de todos los tamaños, precios y colores. Muchos diseñadores novatos emplean la tapa de cartón de las libretas de papel pensando, ilusos, que así se ahorran el dinero. Pero, si alguna vez le ha pasado que después de dedicarle horas y horas a una ilustración, cuando ya está listo para montar su obra maestra resulta que al cortar se le queda encajado el cuchillo en la ranura de un corte anterior del cartón y arruina el borde perfecto de su obra, sabrá de lo que estoy hablando y apreciará el valor de gastarse unos euros en una buena esterilla de corte.

Personalmente, prefiero las esterillas transparentes porque puedo colocarlas sobre mi mesa de luz y ver a través de ellas. Las tengo de varios tamaños: una muy grande para los proyectos de mayor envergadura, una mediana fácil de transportar para llevarla conmigo si tengo que ir a visitar a un cliente y una más pequeña del tamaño del kit de diseño gráfico que llevo conmigo siempre que salgo de viaje.

Adhesivos para collage

Hay una gran variedad de pegamentos y adhesivos que se pueden utilizar en los *collages*. Sólo tiene que experimentar y encontrar el adecuado en cada caso. A veces un solo proyecto necesita más de un tipo de adhesivo, sobre todo si integra más de un tipo de material.

Xyron Creative Station.

CON PAPEL

Con papel fino funcionan bien los medios acrílicos (como el medio mate, el polímero o cualquiera de los geles) o la pasta Yes! También sirven los pegamentos blancos de las marcas Sobo y Elmer (acetatos de polivinilo, alias PVA, alias polímeros).

PEGAMENTO DE HULE

Si decide utilizar su viejo pegamento para papel favorito, el pegamento de hule, procure comprar uno de calidad archivo para evitar que los papeles vayan perdiendo color con el tiempo.

CON TROCITOS PEQUEÑOS

Personalmente. me encanta un adhesivo de tipo papel sobre el que se frota llamado StudioTac porque es seco y lo puedo usar en pequeños fragmentos de material sin que el pegamento se salga por todas partes y lo ponga todo perdido.

CON OBJETOS MÁS PESADOS

Los objetos más pesados necesitan adhesivos más fuertes. La madera y los metales necesitan pegamentos de epoxi, E-6000 o pasta acrílica de modelar.

INSTRUMENTOS PARA PEGAR

La industria de los álbumes de recortes ha lanzado todo tipo de utensilios para la aplicación de adhesivos. Algunos pueden llegar a ser bastante caros, pero son muy eficaces y convenientes. Yo tengo una máquina Xyron 900 (que me ha costado unos 60 euros) que adhiere una preciosa y fina película de adhesivo en el dorso de mis papeles con sólo darle un par de vueltas a la manivela.

ADHESIVOS NO PERMANENTES

El UHU Tac y otros materiales para pegar pósteres funcionan muy bien como adhesivos no permanentes cuando la idea de un *collage* es colocar provisionalmente todos los elementos y ver cómo encajan antes de crear la versión definitiva.

ESPRAYS ADHESIVOS

Los esprays adhesivos están especialmente indicados para los *collages*. Extienden una especie de neblina muy fina sobre el dorso de los elementos, evitando la aparición de esos feos bultitos en la superficie y esos bordes raídos que surgen al fijar las distintas texturas sobre un sustrato plano.

Asegúrese siempre de rociar los adhesivos al aire libre o dentro de una cabina de pulverización (una caja grande es la alternativa barata a este tipo de cabinas). La pulverización libera al aire miles de partículas diminutas de pegamento que descienden y cubren los objetos no sólo de sus obras de arte sino de todo lo que se ponga a su alcance, llámese alfombra, gato o niño que curiosee por la zona. Antes de que se dé cuenta, se habrá formado una horrible mancha en el suelo, al gato se la habrán pegado mil pelusas de polvo de todas clases y tamaños, y al niño se le habrá quedado un caramelo tatuado en el hombro. Si pulveriza las cosas al aire libre, no olvide extender una o dos hojas de papel de periódico por el suelo para proteger el pavimento o las losas del garaje, o también le saldrán marcas horribles allí donde la suciedad se adhiera a los restos de adhesivo.

Hay una gran variedad de adhesivos en espray a la venta en el mercado. Algunos son lo suficientemente resistentes para pegar la moqueta, como Super 77, y otros son de baja adhesión y se pueden utilizar para cosas temporales. Como profesional del diseño, lo más probable es que necesite un bote de cada.

Los esprays adhesivos no son baratos, así que proteja sus inversiones manteniendo las boquillas bien cerradas y limpias. Cuando termine de pegar lo que tenga que pegar, ponga el bote boca abajo y deje gotear el producto sobre una toallita de papel. Limpie minuciosamente la boquilla. Si se atasca, compre una nueva en la tienda de arte o pruebe a limpiar y desatascar el orificio con una aguja y un poco de diluyente para pegamento de hule o de quitaesmaltes de uñas.

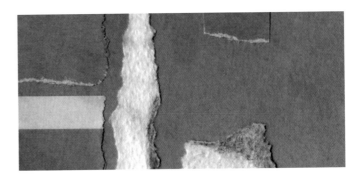

ALISADO

Cuando decida que su *collage* ya está terminado, cerciórese de que todo esté muy bien pegado antes de pasar la obra maestra por el escáner. Consulte el capítulo 4 para ver ejemplos de herramientas alisadoras muy prácticas para esto.

SEA EFICIENTE

Como diseñador es importante rodearse de un buen conjunto de herramientas y métodos eficaces que le permitan desarrollar su trabajo de diseño digital de forma fluida y así estar seguro de que la comunicación visual que está creando resulta apropiada para cada fin concreto. Por supuesto, hay muchas cosas que se pueden arreglar en Photoshop, pero ¿no cree que hay mejores cosas en las que emplear su tiempo? Si es cuidadoso y pone todo su empeño en cumplir todas las tareas artísticas de forma ordenada, limpia y minuciosa desde el principio, se ahorrará mucho tiempo no teniendo que aplicar después todas esas aburridas correcciones y mejoras en un programa de retoque digital de imágenes.

No obstante, tenga en cuenta que, siendo como somos diseñadores digitales, tenemos en nuestras manos un gran poder, el de arreglar las cosas. No estamos creando arte mural y este pensamiento es extraordinariamente liberador. ~R

1. Cuando haya decidido el mensaje que desea transmitir con su *collage,* elija los materiales y empiece a organizarlos a su alrededor.

    El enfoque más espontáneo y directo es muchas veces la mejor solución. Otras, sobre todo cuando la obra collagista debe seguir las pautas de un proyecto más amplio, es importante empezar la ilustración creando ideas en miniatura que se ajusten al formato y los objetivos del trabajo global. Usted, como diseñador, es el encargado de elegir cuál es el enfoque más eficaz y efectivo a la vista de los parámetros que delimitan el proyecto final.

2. Después de seleccionar algunas obras iniciales de papel, texturas, fotografías, objetos efímeros, etc., empiece a ordenarlos, a cortarlos, a rasgarlos, a dibujar sobre ellos, hasta que el diseño tome forma y empiece a comunicar su mensaje con eficacia.

    Quizás, al ir distribuyendo los elementos, descubra que necesita crear más trozos, encontrar o comprar más. Así es cómo funciona, así que déjese llevar y mantenga una actitud flexible y adaptable. Haga lo que tenga que hacer.

3. Extienda algunas formas grandes para sujetar el *collage.* Recuerde que el contraste es su amigo, así que manipule los bordes, los tamaños relativos, los colores y las texturas para conseguir un efecto más dinámico y definido.

Piense en las proporciones de su proyecto. Sus ilustraciones o textos deben adaptarse a un formato específico, por lo que es importante elaborar un diseño apropiado. A menudo suele ser más fácil crear el collage algo más grande de lo que es necesario en principio y reducirlo posteriormente de tamaño en el ordenador.

No obstante, es complicado hacer que una imagen larga y rectangular o un bloque de texto encaje en un formato cuadrado, así que al menos procure establecer unos parámetros proporcionalmente adecuados desde el principio.

4. Retirar elementos de una obra puede ser a veces casi tan importante como agregarlos, así que no tenga miedo si comprueba que hay alguno que estorba y que obstaculiza la visión.

5. Es buena idea hacer una primera distribución provisional de los elementos para extraer conceptos e ideas. Los clientes son expertos en cambiar de opinión. A mí me gusta utilizar pequeñas bolitas de adhesivo de pósteres para mantener las cosas en su sitio la primera vez que digitalizo mis *collages*.

6. Una vez que el cliente haya aprobado el *collage* básico (si es necesario), llega el momento de montar la versión final.

   Uno de mis adhesivos favoritos es la pasta Yes!, pero para extenderla sobre los papeles hay que extremar las precauciones y hacerlo de forma muy suave y uniforme. Normalmente, utilizo un pequeño esparcidor, pero si quiere también puede utilizar un pedazo limpiamente recortado de un tablero de dibujo.

7. También me gusta utilizar adhesivo Letraset StudioTac para los trozos pequeños. Es un papel adhesivo que transfiere el pegamento frotando sobre él. Son pequeños puntitos de un material adhesivo pegados a una hoja de material translúcido. Para utilizarlo, primero hay que pelar la lámina de protección.

8. Frote los puntitos adhesivos sobre el material con un alisador y luego frote el material sobre el *collage*.

9. Vuelva a colocar la lámina de protección al StudioTac.

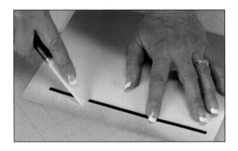

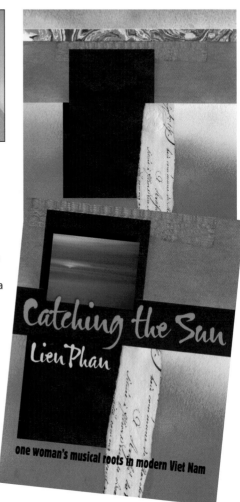

10. Alise bien los elementos del *collage*. Me gusta utilizar una variedad de StudioTac de baja adhesión porque muchas veces acabo introduciendo modificaciones de última hora y así tengo más flexibilidad.

11. Otro de mis materiales adhesivos para *collage* favoritos es el medio mate. Es muy uniforme y cuando se seca queda completamente transparente con un acabado mate.

    Al digitalizar las obras, lo ideal es evitar cualquier tipo de brillo porque los materiales reflectantes pueden hacer aparecer puntos calientes en la imagen. No olvide que el objetivo es intentar ahorrarnos el mayor trabajo de retoque posible en Photoshop.

Cuide al máximo los detalles a la hora de poner en pie su *collage*. Mantenga los dedos siempre limpios e intente evitar pegamentos demasiado líquidos. Cuando la obra esté terminada, coja una toallita de papel limpia, extiéndala sobre el *collage* y alise todo bien en su sitio.

Después de terminar y escanear mi *collage*, seguí adelante con el proceso en el ordenador, como puede ver en la figura 29.20.

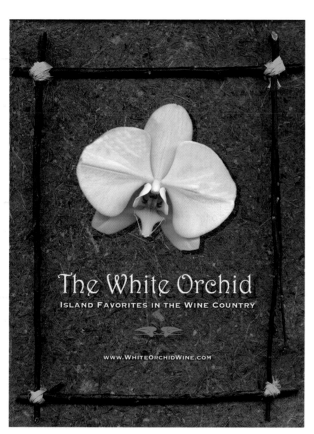

Un estudiante misterioso dejó este intrigante collage abandonado en la papelera. Por supuesto, no podía simplemente pasar de largo, es una obra de arte anónima. Y muy hermosa.

Como puede ver, texturas extraídas de revistas, números de un viejo recibo o un pedazo de papel washi con incrustaciones de papel de periódico pueden crear composiciones únicas.

La moraleja aquí es: nunca se deshaga de esas cosas que piensa que son poco interesantes o valiosas (o puede ocurrir que un colega emprendedor las saque de la basura y las aproveche para crear un póster más que interesante).

DIGITALIZACIÓN DE COLLAGES

He construido un cuartito oscuro para mi escáner en el que poder digitalizar objetos en 3D. Se trata de una cajita pequeña de cartón espuma negro y cinta fotográfica negra de 5,08 cm de profundidad, adaptada para que encaje bien dentro del marco de cristal de mi escáner.

He fijado mi orquídea fresca dentro de la caja negra con UHU Tac y luego la he escaneado. Si hubiera puesto la flor directamente sobre el cristal, habría aplastado y arruinado sus delicados pétalos.

He construido el marco con palillos de sauce y rafia, lo he fijado a un trozo de papel de pulpa de madera con UHU Tac y también lo he escaneado.

Finalmente, en Photoshop, he combinado los escaneos y le he añadido el texto en InDesign.

30. Collages con metal

Los *collages* pueden incluir toda clase de materiales y, por tanto, también objetos metálicos y arandelas (ojales de metal, pequeños objetos redondos que se insertan en los agujeros para proteger los bordes). En la mayoría de las tiendas de bricolaje y manualidades venden láminas de metal artístico. Utilícelas para recortar formas específicas, presionar la superficie e incluso grabar palabras y diseños en relieve. Su proyecto no saldrá exactamente como el mío pero, si sigue los mismos pasos que yo, aprenderá varios trucos y técnicas que le resultarán muy útiles para trabajar con el metal.

Siempre que trabaje con láminas de metal artístico, tenga mucho cuidado con las esquinas, porque están muy afiladas y cortan. Le recomiendo encarecidamente que utilice guantes para manipularlas, cortarlas y doblarlas.

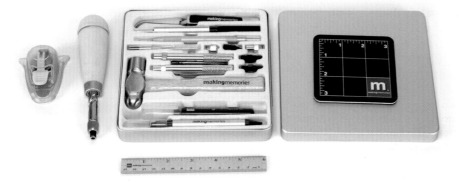

Uno de mis lotes de herramientas favoritos resulta especialmente eficaz para este tipo de proyectos: una graciosa cajita para artistas del papel de la marca Making Memories. Yo tengo la versión de lujo, que cuesta unos 30 euros y que viene en formato de una preciosa caja de lata. Lleva un cúter, un lápiz de pegamento, una perforadora de papel con tres tamaños de orificio, una máquina ojaladora universal, cuatro cabezales distintos, pinzas, un lote de cuatro agujas, un perforador de aguja deluxe, un estilete, una regla de 15 cm y una esterilla negra. Ahora ya sabe qué pedir para el Día de San Valentín.

Como alternativa a los ojales, en las tiendas de bricolaje encontrará una enorme selección de preciosos clavitos metálicos. Lo único que necesita es algo con lo que abrir un agujero en el metal y ya puede aplicar los clavitos para unir el metal al resto del collage. Y dé un paso más, sea osado e incorpore esos bonitos clavos a cualquier collage. ~R

1. En este *collage* voy a utilizar toda una variedad de efectos metálicos. Ya tenía creada una pátina (véase el capítulo 8) en una sección de este *collage* y ahora voy a producir un motivo con un elemento de metal artístico para incorporárselo.

   En un pedazo de vitela, dibuje la forma que quiera que tenga el metal.

2. Recorte con cuidado la figura, dejando una sangre de unos 13 mm por todo el perímetro para poder doblar después el metal hacia dentro, lo suficiente para deshacerse de los bordes afilados.

3. Corte un trozo de lámina fina de metal del rollo con un par de tijeras viejas que tenga reservadas para este tipo de tareas, o bien utilice unas tijeras de chapa. No utilice su recién estrenado par de tijeras de precisión porque cortar metal destrozará las hojas de corte.

4. Trace el motivo sobre el metal con un lápiz. Presione firmemente para crear una marca que luego pueda seguir fácilmente.

5. Si desea inscribir el metal, colóquelo sobre algo que ceda un poco, como esas almohadillas de espuma finas de las tiendas de manualidades (los artesanos del metal suelen utilizar almohadillas hechas de ante). Yo, el mío, lo he colocado sobre una esterilla de corte.

   Fije los bordes del metal con cinta adhesiva para que no se mueva y, lo que es más importante, para que usted no se corte con las esquinas afiladas.

6. Utilice un estilete de repujar para dibujar con presión sobre el metal (utilice una punta fina para las líneas más delicadas y otra más gruesa para las líneas más profundas y abultadas).

7. Retire la cinta y recorte la forma. Tenga cuidado de no cortarse los dedos. En realidad, lo ideal es que se ponga los guantes para hacer esto.

8. Haga un corte diagonal en las esquinas de unos 13 mm de longitud desde fuera hacia al centro.

9. Doble las esquinas hacia atrás. Con la alisadora, aplaste bien los dobleces por la parte de atrás.

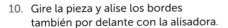

10. Gire la pieza y alise los bordes también por delante con la alisadora.

11. Mi intención es fijar esta pieza al *collage* con ojales y además quiero una línea de agujeritos que decore todo el borde, así que marco el recorrido que quiero que sigan los agujeros.

12. Con la perforadora de papel, hago los agujeros. En los bordes más gruesos, utilizo una perforadora de bordes de la marca Martha Stewart, una herramienta de gran utilidad que es interesante incorporar a la colección personal.

13. Quiero imprimir tensión a la superficie, así que la golpeo con un trozo de papel de lija de grano fino y la rasco con un pincel de cerdas metálicas.

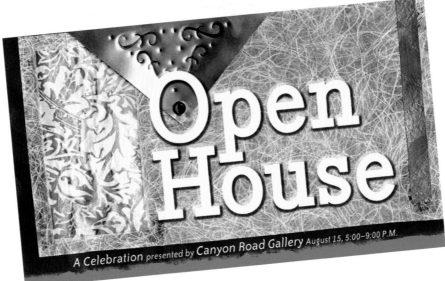

14. Para fijar el metal al *collage* con ojales, primero señalo una marca en el centro de cada orificio con una aguja, una sonda o un punzón.

15. Coloque una esterilla de perforar (que viene con el lote de herramientas) o un trozo de madera que no sirva debajo de la zona donde vaya a perforar.

16. A veces con la perforadora de papel utilizo un martillo. Perfore los agujeros en el sustrato.

17. Inserte un ojal en cada orificio.

18. Déle la vuelta al *collage* y fije bien los ojales para que no se salgan. Ya está. Puede seguir adelante para terminar su *collage*.

Aquí he aplicado una pátina al metal, como se explica en el capítulo 8.

La idea en este póster era conseguir cierto efecto desaliñado y el fondo de metal tachonado sugiere justamente eso. Además, quería captar los colores y texturas de las rocas, la vegetación y las arenas autóctonas de Río de Janeiro. Para conseguir el efecto capeado, utilicé pastas de modelar, geles con partículas, pátinas, arenas e incluso un poco de polvo de realce de color oro, todo combinado con las pinturas acrílicas. ~C

Creé el texto en InDesign, lo imprimí, lo adosé con cinta al cobre y lo repujé a mano sobre el metal desde la parte de atrás. ~R

31. Fabrique su propio papel

La elaboración artesanal del papel es un proceso sencillo que ofrece un sinfín de posibilidades al diseñador gráfico. Crea un efecto de calado en los bordes llamados bordes plumillados (el sello distintivo de un papel hecho a mano), que es uno de los principales motivos por los que me gusta fabricarme mi propio papel.

Además, a la pulpa del papel se le pueden incorporar multitud de elementos para crear texturas de fondo originales que quedan perfectas en muchas obras de diseño gráfico. Yo siempre estoy investigando y probando cosas nuevas para incrustar y obtener efectos interesantes.

Aunque el proceso parece engorroso, la verdad es que se tarda mucho menos de lo que uno pueda imaginar. Es extremadamente gratificante.

1. Llene de agua tibia y hasta la mitad una cuba de plástico lo suficientemente grande como para que quepa dentro el molde de fabricar papel.

   Llene con agua tibia una batidora de pie hasta la marca de cuatro tazas.

2. Si utiliza papel reciclado, rómpalo en trocitos pequeños e introduzca un manojo dentro de la batidora. Si ha comprado hojas enteras de linter de algodón, coja una hoja y divídala en trocitos pequeños. Si desea utilizar trapos de tela viejos, primero lea las instrucciones que se detallan un poco más adelante en este mismo capítulo.

   Nunca introduzca tiras largas de papel en la batidora porque se pueden quedar enganchadas en las hojas y quemar el motor del aparato. Tenga cuidado. Mis queridísimos alumnos han quemado sin querer más de una batidora. Asegúrese de utilizar siempre agua en abundancia.

El linter, que es como una especie de masa o pelusa gruesa, produce un papel muy blanco, que casi que pide a gritos un poco de color o de partículas incrustadas. Es sensacional para los estampados de papel (como verá en el siguiente capítulo).

A veces utilizo papel de fibra linter precortado de la línea de materiales Arnold Grummer que a la venta en tiendas de arte o de manualidades. Si prefiere reciclar, utilice folletos publicitarios o cualquier papel que tenga por casa. Sólo recuerde que lo que sea que vaya a utilizar en la pulpa determinará el color y el acabado de su papel artesanal. Si elige papel impreso, las tintas de impresión conferirán al papel un tono lodoso, gris e industrial. Si tiene intención de escribir sobre él o guardarlo en algún sitio para la posteridad, añada a la batidora media cucharadita de un aditivo tipo Acid pHree o uno específico para papel. Estos aditivos contienen carbonato cálcico, que actúa como filtro para suavizar la superficie del papel y neutralizar los ácidos responsables de su deterioro.

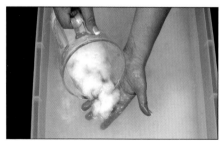

3. Bata bien la mezcla de la batidora. El objetivo es obtener una pulpa lo más triturada posible para que el papel quede muy liso y regular. Además, cuanta más pulpa ponga en la cuba, más grueso será el papel.

4. Vuelque la pulpa en la cuba grande de plástico que antes llenó de agua tibia. Dependiendo del tamaño de la cuba, lo más probable es que necesite más de una batidora llena de pulpa para obtener le proporción exacta de pulpa y agua. La mía tiene una capacidad de 35 litros y en ella caben cuatro batidoras llenas.

En la pulpa de papel me gusta incrustar todo tipo de partículas para crear texturas. Algunas veces añado cosas a la batidora para que se corten junto con el propio papel para obtener una textura más fina, tipo confeti. Si quiero pedacitos más grandes, se los añado a la pulpa de papel cuando ya está en la cuba, como hice con el dinero desmenuzado del ejemplo "the dollar & recycling".

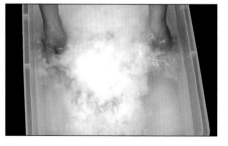

5. Revuelva y amase la pulpa de papel con la mano hasta que se mezcle bien con el agua.

Sujete el molde de fabricar papel de pie, con la pantalla mirando hacia usted, y sumérjalo verticalmente en la cuba. Procure no temblar mucho al hacerlo y muévase lo menos posible Cuanto mejor pulso tenga, más lisas saldrán las hojas de papel.

6. Cuando toque fondo, ponga el molde en horizontal con la pantalla mirando hacia arriba.

the dollar & recycling
prosperity in the age of global warming
michael cassio PhD

7. Levante el molde en línea recta y con un movimiento equilibrado. La idea es que la pulpa se distribuya uniformemente

8. Coloque el molde en una bandeja vacía para que suelte toda el agua. A continuación, ponga el marco vacío encima de la pulpa, de forma que los lados coincidan con los de la pantalla, y presione con fuerza. Es en este momento cuando se crea ese precioso efecto plumillado de los bordes.

9. Retire el marco con cuidado de no estropear la pulpa.

10. Coloque un trozo de molde encima de la pulpa.

11. Con una barra de prensar (quizá tenga alguna como la de la siguiente figura de algún kit de fabricación de papel) o un libro envuelto en una bolsa de plástico o incluso una esponja limpia de ésas que se utilizan para limpiar la cocina, haga presión para extraer toda el agua posible de la hoja de papel.

Presione con fuerza. Cuanta más extraiga, mejor. No obstante, procure que el molde no se mueva, así que sujételo firmemente con la mano que le queda libre.

12. Cuando haya exprimido toda el agua posible, seque la bandeja grande con una toalla, pele con cuidado el molde y déjelo a un lado.

13. Coloque un trozo de fieltro blanco (o un retal de alguna sábana blanca) en el fondo de la bandeja ahora seca.

14. Gire el molde y colóquelo sobre el fieltro con el papel orientado hacia abajo, de forma que la pulpa entre en contacto con el fieltro.

15. Con una barra de prensar o una esponja limpia, siga apretando para exprimir más agua. Esto es lo que se llama "acolchar" el papel o (couching).

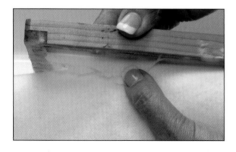

16. Levante la pantalla con el fieltro. Con la uña, pele una de las esquinas de la pulpa para despegarla del molde. Normalmente, ésta es la mejor manera de separar el papel del molde.

17. Con suavidad, deje reposar la hoja de papel sobre un pedazo seco de fieltro o de sábana.

18. Ahora ya puede planchar la hoja (sobre el "algodón") envuelta en unos trozos de tela o unos trapos. Para secarla, puede tenderla en vertical para que se seque al aire o dejarla en horizontal sobre una superficie plana para que se seque poco a poco.

Recuerde que a veces cometer "errores" es la clave para obtener efectos interesantes, así que sea osado y experimente todo lo que quiera. De hecho, en la mayoría de los proyectos no es necesario que el papel esté perfectamente uniforme. Así que si las hojas que fabrica le salen un poco contrahechas, no se preocupe demasiado. Es muy probable que su destino final sea acabar troceadas y montadas en un collage.
~C

SU HOJA DE PAPEL

¡La experiencia de fabricar la primera hoja de papel es tan emocionante!

La pregunta es: ¿y ahora qué hago con ella? Primero, escanéela. Por supuesto, a alta resolución. Así podrá guardar un documento digital del papel y reutilizarlo cuantas veces quiera. Imagine que quisiera crear un *collage* con la hoja, la podría romper y dividir en trozos sin miedo y seguiría tenido la imagen digital para crear otras cosas, por ejemplo una etiqueta para una botella de vino.

En este ejemplo, tenía que crear una etiqueta para una botella de vino Marletta. Lo primero que hice fue escanear el papel artesano con otra hoja de papel de color negro pegada al dorso a fin de revelar unos preciosos bordes plumillados. Si la tapa de su escáner es blanca, como la del mío, sabrá que, cuando se digitalizan objetos blancos, luego resulta muy difícil recortarlos del fondo.

A continuación, retoqué algunas zonas pequeñas del papel en Photoshop, coloqué la imagen TIFF en InDesign e incorporé el texto. Llevar a troquelar una etiqueta como ésta con los bordes raídos me hubiera costado una fortuna. Por eso, preferí colocarla sobre un fondo negro para que se fundiera con el color de la botella de vino.

Este papel está hecho con una vieja servilleta de algodón de tela de guinga, la última de varios conjuntos de servilletas con los que se han criado mis hijos (más adelante se explica cómo fabricar papel con trapos viejos). Puse un trozo de sábana vieja encima del papel y otro debajo, un poco de cuerda directamente debajo del papel y luego unos ladrillos encima para hacer presión y esperé a que se secara. Estoy segura de que como diseñador se imaginará la cantidad de posibilidades que tiene prensar formas sobre papeles artesanos. Así que anímese a utilizar formas de cartón, esténciles gruesos, objetos naturales y mil y una cosas más. ~R

Fabricación de papel a partir de trapos

Nunca había fabricado papel antes de leer las instrucciones que Carmen ha escrito aquí y la verdad es que tenía verdadera curiosidad por saber si sería capaz de hacer papel a partir de trapos de algodón y lino, prendas de ropa o servilletas. Descubrí que el proceso era prácticamente el mismo con un solo paso más, que paso a detallar a continuación. ~R

Antes de seguir las directrices de Carmen desde el paso 1, haga esto:

1. Corte algunos retales de lino o algodón en trocitos pequeños. No se le ocurra utilizar ni lana ni fibras sintéticas.

    Si va a utilizar un trozo de tela nuevo recién comprado en una tienda, asegúrese de lavarlo bien primero para quitar el apresto.

    Para este ejemplo, he utilizado la pernera de unos pantalones usados de lino que me encantan. Me los he puesto tanto que empezaban a caerse a pedazos, pero es que me resistía a tirarlos a la basura. Menos mal que no lo hice.

    Cuando tenga que cortar tela, utilice unas tijeras buenas y perfectamente afiladas.

2. Coloque el tejido en un cazo que no sea de aluminio con agua abundante.

    Añada algunas cucharadas de bicarbonato sódico y déjelo todo hirviendo a fuego lento al menos una hora. No pierda de vista la cocción porque corre el riesgo de que hierva y rebose, como se ve en la siguiente figura. De todos modos, no se preocupe, porque se limpia fácil.

    Las tijeras de tela de la marca Fiskars son magníficas para cortar tela, pero tenga cuidado con ellas. Todavía me falta la huella dactilar de un dedo que me corté a la vez que cortaba un sobrante de hilo cuando tenía 15 años. Las Fiskars se llevaron por delante la huella y el hilo, todo junto. ~R

Tengo en el taller una prensa de libros porque estoy aprendiendo a encuadernar, pero he descubierto que las prensas también funcionan muy bien para aplastar el papel. Sólo hay que colocar varios objetos debajo de las hojas húmedas y prensarlas entre trapos y trozos de sábanas viejas para crear impresiones sobre ellas. Como alternativa, siempre están los ladrillos o algún tomo de libro bien grande y pesado. ~R

He cortado un esténcil con mi súper increíble cortador de clichés y lo he colocado debajo de una hoja húmeda de mi papel de lino recién hecho. He descubierto que las formas impresas resaltan más cuando las hojas tienen colores más pálidos. Por eso, he utilizado pintura metalizada dorada para colorear la impresión apenas visible del esténcil.

3. Coloque la tela empapada en un colador y enjuáguela bien para extraer todo el bicarbonato sódico.

4. A partir de aquí ya puede seguir todas las instrucciones de Carmen para fabricar su propio papel artesano.

Asegúrese de utilizar mucha agua y poca tela en cada batidora. La tela es más recia que el papel y las hojas de la batidora tienen que hacer más fuerza para triturarlas, lo cual podría quemar el motor. Adivine cómo lo he averiguado.

El papel hecho de algodón o lino tiene calidad de archivo. Es cien por cien papel de fibra. El papel elaborado con pulpa de madera se desintegra bien cuando está mojado, pero el de fibra no. Por eso, los billetes que se quedan metidos en los bolsillos de la ropa que se mete a la lavadora no se estropean en los lavados. La pulpa de madera no se inventó hasta mediados del siglo XIX en Canadá y Alemania, razón por la que hoy en día conservamos una colección tan extensa de libros y manuscritos realmente antiguos. Todo lo que se escribía e imprimía en aquella época, incluidos los pergaminos y las vitelas de pieles de animales, tenía calidad de archivo.

En 1660 se aprobó en Inglaterra una ley que prohibía enterrar a los muertos en lienzos de algodón o lino. Había que hacerlo en lienzos de lana porque la lana no sirve para fabricar papel. Esto permitía ahorrar tela por valor de 200.000 libras al año, la cual era necesaria para fabricar papel. ~R

INCRUSTACIONES

En este ejemplo he mezclado pulpa de madera con pulpa de papel. Estos elementos que se añaden se llaman "incrustaciones". Puede utilizar de todo: flores secas, purpurina, pintura metalizada, pedacitos de hilo y cuerda, confeti, etc. Lo importante es que esté seco para que el papel no coja moho. Por eso no funcionan muy bien las plantas y las flores frescas. Tengo una alumna de gran talento, Nichole Coggiola, que me regaló esta preciosa hoja de papel con incrustaciones de madera. Decidí escanearla entera porque me encantan los bordes que tiene. Luego utilicé una foto que tenía de un músico de boca tango y le apliqué un filtro de color sepia cálido en Photoshop con la opción Tono/ saturación haciendo clic en la opción Colorear para ajustar los tonos. En InDesign utilicé el cuentagotas para coger muestras de los colores de la hoja y de la fotografía y aplicárselos al texto. Me gusta combinar imágenes y elegancia. ~C

Para este collage he comprado la hoja de papel washi con trozos de papel de periódico ya incrustados (tampoco es cuestión de hacerlo uno TODO todo el tiempo, ¿no?) y la he combinado con hojas de plantas secas y prensadas y otros elementos que tenía por ahí para dar la idea de reciclaje. ~C

Pasta de fibra (papel artesano de imitación)

Aquí he teñido un pequeño cuenco de pasta de fibra y le he añadido las virutas de madera de un trabajo de tallado anterior para crear esta imitación de papel.

¿Tiene mucha prisa pero le es imprescindible conseguir ese efecto del papel artesano? Cómprese un bote de pasta de fibra en la tienda de arte. Si quiere que tenga un ligero toque de color, añádale un poco de pintura acrílica. ~R

1. Con una espátula, extienda una capa fina de pasta de fibra sobre una hoja de papel de cera o de plástico de envolver.

2. Amase los bordes con los dedos para darle el aspecto de un borde plumillado.

3. Espere a que se seque.

4. Pélelo.

Una vez creado el "papel", ya puede pintar sobre él, imprimir en él, rasgarlo, cortarlo, utilizarlo en un *collage*, etc. No es tan maravilloso como el papel artesano de verdad, pero tiene una ventaja: como no está hecho de pulpa de madera, no se deshace cuando se moja.

Esta obra está pintada con fondo digital (consulte el capítulo 2). La he pegado con cinta adhesiva por la parte de arriba y varios centímetros por los lados hacia abajo sobre una hoja de papel bond normal y luego lo he pasado todo por una impresora de chorro de tinta baratita que tengo. Listo, ya se puede utilizar en un proyecto.

32. Esculturas de papel en 3D

La esculturas de papel son una técnica magnífica para crear ilustraciones en 3D.

Lo único que hace falta para fabricarlas es un molde. Hay mucha gente que para esta técnica utiliza yeso de París, pero eso supone tener que comprar grandes bolsas de un polvo blanco seco parecido a la tiza, mezclarlo con agua, embadurnar el objeto en vaselina, verter la pringosa mezcla húmeda sobre el objeto, asegurarse de dejar uno o varios puntos de costura convenientes para poder sacarlo después y esperar a que se seque todo completamente... Pero yo no tengo ni el tiempo ni la paciencia para tanto engorro, así que prefiero utilizar mi cómoda y manejable arcilla Sculpey. He recogido incluso hojas de la calle de la oficina de mi marido y he creado esculturas de papel con ellas y Sculpey.

Busque cosas para empapelar que sirvan como moldes: trozos de madera de los árboles, rocas, cucharas, dentaduras o moldes de dentista, cuencos, hojas, las huellas de las manos de sus hijos en pasta de París, etc. Lo único importante, por supuesto, es que guarden algún tipo de relación o conexión con su proyecto de diseño gráfico.

Necesita preparar una batidora llena de pulpa de papel (véase una descripción del proceso en el capítulo 31). Ya puestos, si va a disponer de una cuba llena de pulpa, de paso podría fabricarse su propio papel, ¿no?

1. En este ejemplo se me ha ocurrido elegir una concha de gran tamaño como base para crear un interesante molde de papel en 3D.

   No obstante, si prefiere utilizar un molde de arcilla y herramientas en lugar de cubrir un objeto ya existente, fabríquelo primero y salte directamente al paso 6 para cocerlo. El molde no tiene por qué ser profundo.

2. Cubra el objeto con papel de aluminio. Frótelo con presión para que absorba todas las irregularidades y características texturales de la superficie de la forma que haya elegido. Si quiere estar doblemente seguro de que la arcilla se desprenderá luego del papel de aluminio, pulverice la forma con grasa para cocinar Pam.

3. Desenrolle la arcilla Sculpey procurando que salga muy fina con el ajuste mínimo de la máquina para hacer pasta (más información sobre máquinas de hacer pasta con arcilla en el capítulo 39).

   Si no tiene una máquina de éstas, hágalo a mano con mucho cuidado para que la lámina salga lo más fina posible.

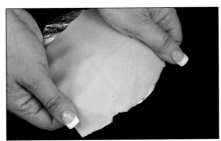

4. Cubra el objeto con Sculpey procurando que la arcilla no se pegue del todo por debajo de los bordes. La idea es poder sacar luego el objeto del molde con facilidad y sin que se rompa.

5. Presione la arcilla sobre el objeto, con fuerza y cuidado a la vez, para atraer hacia sí la máxima cantidad de detalle posible.

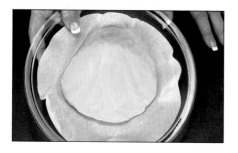

6. Una vez que el objeto esté totalmente envuelto en la capa fina de arcilla, colóquelo en una bandeja para galletas o para pasteles forrada con papel de hornear y meta la bandeja en el horno a 250 durante unos 20 minutos (si utiliza una marca de arcilla polimérica distinta, lea primero las instrucciones específicas de cocción).

7. Cuando la arcilla se haya enfriado, separe con cuidado el molde del objeto forrado en papel de aluminio.

8. Tome la batidora y vierta la pulpa de papel sobre el molde, a la vez que va dándole forma con los dedos. Asegúrese de que la pulpa no cubra por completo los bordes del molde para que extraer luego el objeto no resulte demasiado complicado.

9. Cuando el molde esté bien relleno, exprima toda el agua que pueda.

10. Baje la temperatura del horno al mínimo, coloque el molde relleno de pulpa en la bandeja de galletas forrada con papel de hornear y vuelva a introducir ésta en el horno. Asegúrese de colocar el molde con la pulpa boca abajo para que se mezcle y adapte bien a la forma.

La pulpa puede llegar a tardar hasta ocho horas en secarse, dependiendo del grosor que tenga, así que paciencia.

11. Cuando ya esté bien seca, separe con cuidado la forma de papel y extráigala del molde.

Lo que sale es una copia perfecta y hermosa de la forma original, lista para utilizar como figura en 3D, para pintarla, colorearla y decorarla como quiera.

Si sigue el proceso al pie de la letra y con cuidado, es posible que pueda reutilizar el mismo molde para crear más obras.

En esta ilustración con base de escultura de papel he combinado múltiples técnicas con la del molde de concha.

Para crear el fondo he pintado el cielo y la arena con acuarelas y he salpicado algunos granos de sal a fin de crear una textura arenosa (véase el capítulo 15). Observe cómo ese pequeño toque textural atrae la vista y la conduce hacia el nombre del autor.

Para la franja central, encontré un trozo de papel muy texturizado y lo pinté con un acrílico color cobre cálido.

En la línea de corte entre el papel texturizado y la arena apliqué una tira de fondo absorbente (véase el capítulo 12), que luego pinté con acuarelas.

En este punto, escaneé la base completa como fondo.

A continuación, extraje mi finísima concha de papel, la pinté con una primera capa de color rojo, una segunda capa de pintura metalizada y finalmente le apliqué una pátina (véase el capítulo 8).

Fijé la concha dentro de la pequeña caja oscura de mi escáner (véase el capítulo 29) con UHU Tac y la escaneé.

En Photoshop, abrí las dos imágenes digitalizadas de la concha y del fondo, las uní y guardé el documento acoplado como TIFF. Por último, abrí la imagen acoplada en InDesign y le incorporé el texto.

Para crear esta ilustración he utilizado un molde de galleta con forma de corazón decorado y luego la he partido por la mitad. Si se fija, verá que hay un motivo lineal descolorido hecho con lejía sobre el papel (véase el capítulo 24), una hoja de papel washi artesano de color rojo que compré (véase el capítulo 12) y papel marmoleado hecho por mí (véase el capítulo 28).

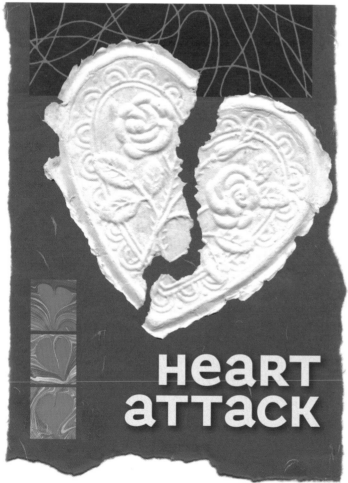

¿DEMASIADO TRABAJO?

Es posible que todo esto le parezca demasiado trabajo para un solo proyecto. Pero no olvide que es usted un artista digital, así que una vez que empiece a hacer objetos a mano, vaya coleccionándolos con el fin de reutilizarlos más adelante en toda clase de proyectos. Cambie el color del papel artesano, adapte e invierta texturas marmoleadas, escanee líneas decoloradas con lejía a gran resolución para aumentar el detalle del tejido del papel. Nunca piense que un trabajo hecho en un momento dado va a servir sólo para un proyecto.

Si compra una bolsa de linter de algodón (véase el capítulo 31), ya verá cómo no puede resistir la tentación de ponerse a hacer esculturas de papel inmediatamente.

En este ejemplo he elegido una fuente de madera antigua, he creado moldes de las letras en arcilla polimérica, he cocido los moldes y luego he fabricado las letras de papel. ~R

Esculturas de papel con pulpa de fibra

Por supuesto, puede utilizar pulpa de papel extraída de trapos de algodón o de lino (véase el capítulo 31) o hilachas de prendas de ropa de estos materiales. ~R

Yo tenía una vieja servilleta de guinga amarilla que era la última que me quedaba de un juego con el que han crecido mis hijos. Me resistía a tirarla, lo cual fue una suerte porque, gracias a ello, la he podido utilizar para seguir las indicaciones de Carmen y crear esta preciosa obra de papel en 3D (sí, es la misma servilleta del capítulo 31).

Como molde, utilicé una bandeja de horno decorada. Todavía no sé en qué clase de proyecto la voy a aprovechar, pero seguro que lo averiguaré más tarde o más temprano.

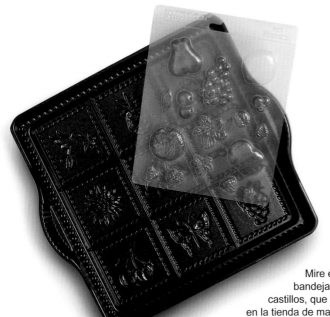

Esta obra no me ha llevado tanto tiempo. Corté la servilleta en trocitos, los coloqué en un cazo con bicarbonato sódico y lo puse todo al fuego. Luego, enjuagué el material, lo mezclé y lo vertí en el molde. Lo esponjé con agua y lo puse a secar. Ya está. Todo lo hice mientras aprovechaba para limpiar un poquito la cocina.

Mire en su tienda local de suministros para cocina porque en ella encontrará bandejas de horno de mil clases y motivos, como mariposas gigantes o viejos castillos, que pueden servir como moldes. Si estima que no tiene tiempo para ello, mire en la tienda de manualidades moldes de papel ya hechos y pruebe con moldes de arcilla polimérica.

33. Técnica de golpe seco sobre el papel

El repujado o labrado de letras o imágenes en relieve sobre el papel es una técnica encantadoramente irresistible. No obstante, la mayoría de nuestros clientes no se la pueden permitir económicamente, ya que es un arte reservado para trabajos de gran categoría y refinamiento como las etiquetas de las botellas de vino, las obras que requieren una presentación especial o las novelas románticas que venden de oferta en el supermercado. De todos modos, es posible que de vez en cuando le apetezca simular este efecto, ya sea para un proyecto que luego va a digitalizar o para una composición que luego formará parte de un diseño global.

En este diseño he repujado el papel y luego he percutido ligeramente sobre las zonas elevadas con una almohadilla impregnada en tinta Distress Ink (a la venta en muchas tiendas de bricolaje) para resaltarlas un poco más. ~R

Si dispone de las herramientas adecuadas para repujar, pruebe a grabar láminas finas de metal de ésas que se compran en las tiendas de arte y manualidades. Personalmente, prefiero las más finas. ~R

En las tiendas de manualidades encontrará toda clase de plantillas para hacer grabados en relieve. Suelen estar hechas de algún metal fino, pero rígido o de plástico duro, y diseñadas para utilizarse con una mesa de luz y un buril o cuchillo de repujar. Por desgracia, la mayoría de las que venden en las tiendas suele abarcar temas demasiado cursis (corazoncitos, pajaritos, conejitos), de escasa utilidad práctica para el diseñador serio.

Las más sencillas, de letras, cuadrados, círculos u óvalos, son bastante prácticas, pero la mayoría de las demás son más adecuadas para las invitaciones de bautizo que su hermana puede hacer a mano.

Dado que no tengo las herramientas para fabricar plantillas personalizadas de metal, opto por utilizar las blancas de plástico que venden en las tiendas de manualidades. Trazo formas de letras o imágenes en ellas con un rotulador Sharpie, luego las corto con un cuchillo X-Acto con una hoja nueva y así creo algunas plantillas de repujado bastante útiles. También se me conoce por utilizar mi enorme colección de modelos de tinta sobrantes de la década de los setenta como plantillas de repujado (círculos, óvalos, cuadrados, triángulos, etc.).

Cuando estuve en Egipto me cautivaron de forma excepcional los grabados pintados a mano que decoraban la mayoría de los hogares nubios. Así que me compré una herramienta de repujar porque tengo intención de decorar mi casa de Nuevo México con una variada colección de grabados nubios. Es una herramienta extremadamente práctica para cortar plantillas y repujar proyectos gráficos. ¿Ha visto lo bien que encaja todo? ~R

34. Estampado de oro sobre papel

Se pueden crear efectos de estampado de oro en cualquier proyecto. Es una técnica muy útil tanto para composiciones y prototipos, como para proyectos donde se persigue crear el efecto de un sello dorado con el fin de digitalizarlo después.

En este ejemplo, he hecho primero un trabajo de repujado (véase el capítulo 33) y luego he pintado encima del grabado para resaltar la imagen. Si quiere, también puede estampar en bajorrelieve una palabra o una imagen y pintarla de dorado,

para que parezca como que el papel se ha estampado con oro metalizado. Lo importante en este caso es asegurarse de colocar bien la plantilla para que las letras se lean al derecho, no al revés, así como de grabar la cara del papel y no el dorso.

Tenga en cuenta que los metales con brillos o reflejos son complicados de escanear, por lo que cualquier proyecto elaborado con metal o pintado con pintura metalizada deberá ser fotografiado primero.

1. Como en el capítulo 33, cree una plantilla y disponga todo lo necesario para el proyecto. En esta ocasión, he utilizado un diseño en que el texto que voy a grabar va impreso en la página. De todos modos, la idea es pintar encima, con lo que el texto me proporciona una referencia sólida para no salirme de los márgenes al aplicar la pintura metalizada.

2. Frote la imagen sobre la plantilla, como se explica en el capítulo 33.

3. Como puede ver en la siguiente figura, el texto se ha grabado en altorrelieve (mehi).

4. Ahora pinte las letras repujadas con pintura metalizada líquida. Deberá poner en práctica toda su precisión de cirujano para pintar con extremo cuidado y atención.

   Luego, si lo necesita, siempre puede pelar los pegotitos de pintura que sobren con un cuchillo X-Acto, pero lo ideal es ser todo lo pulcro y minucioso posible para que el trabajo tenga calidad óptima.

35. Imágenes con pintura metalizada

Después de pasar tres semanas en Italia contemplando pinturas religiosas aderezadas con incrustaciones de oro experimenté una de mis "fases brillantes" en las que casi todo lo que hago lleva un toque de pintura metalizada. Es tan fácil y tan divertido que cuesta resistirse a la tentación de impregnarlo todo de dorados, plateados y cobrizos.

Las láminas de oro auténtico son muy caras y se venden en pequeños "libritos" en las tiendas de materiales artísticos. Personalmente, nunca he comprado pan de oro (salvo para decorar mis trufas, porque sí, ha leído bien, el pan de oro es comestible). En su lugar, uso hojas de metal, que son más

económicas, y las tiño para que parezcan de oro, plata, cobre, etc. Este material no tiene el brillo ni la transparencia del pan de oro de verdad (¡y no se puede comer!), pero tampoco es tan frecuente que tenga que pintar una *Anunciación* al más puro estilo de Simone Martini para la galería Uffizi.

Si utiliza técnicas de pátina (véase el capítulo 8), podrá crear de forma bastante conseguida la sensación de envejecimiento sobre la pintura metalizada. Personalmente, me encanta mezclar el metal brillante para conferir la sensación de edad y decadencia.

1. Trace o dibuje una imagen directamente sobre el sustrato, que se lea o se vea de derecha a izquierda.

   Si desea que la imagen quede elevada sobre la página, créela con pasta de modelar (véase el capítulo 7). Redondee los bordes y esquinas con el pincel y espere a que todo se seque.

2. Pinte con cuidado la imagen con pintura acrílica. El color que elija es el que luego asomará por las grietas. En mi obra me he decidido por una primera capa de Old World Red del lote de pinturas metalizadas de la marca Old World Art.

   Espere a que se seque todo bien.

3. Con cuidado, pinte la imagen con el tamaño de adhesivo especial. Yo dejo a propósito zonas sin pegamento para que la primera capa asome por los espacios vacíos.

   Espere a que se seque hasta que esté pegajosa (lea siempre las instrucciones del bote de adhesivo).

4. Coja una de las hojas ultrafinas de metal y pósela con extremo cuidado sobre la imagen.

   Escanear pintura metalizada no es muy gratificante, ya que el resultado pierde mucha de la riqueza lumínica de la obra original.

5. Coja una brocha grande y blanda y, con suavidad, cepille la superficie de la hoja de metal. Ésta se adherirá sólo por las zonas en las que haya adhesivo. El resto de deslizará fácilmente.

   Para retocar las zonas que no se hayan cubierto, aplique más adhesivo, espere a que se seque y vuelva a aplicar más hoja de metal en esas zonas. Siempre guardo las virutillas metálicas de estos retoques.

6. Si no quiere que la pintura metalizada se deslustre, aplíquela sobre un producto sellante para metal al final de todo.

36. Crear relieves con materiales pulverizados

Los polvos de realce son materiales muy divertidos para jugar a crear cosas. Que los podamos comprar en las tiendas se lo debemos a los amantes de los álbumes de recorte Hay todo un espectro de colores donde elegir, pero pruebe con el dorado, el plateado, el blanco y el transparente.

Con el polvo transparente puede pintar una capa de color sobre el sustrato, pintar una capa de líquido de grabar, pulverizar el polvo encima, calentarlo y hacer que una zona transparente se eleve justo donde está la pintura, consiguiendo una especie de efecto de barnizado digital.

Para que el producto funcione, necesita comprarse una pistola de aire caliente en una tienda de bricolaje. Los secadores de pelo no sirven porque no calientan lo suficiente.

Este proceso no funciona con papel fotográfico, ya que la pistola quema el papel.

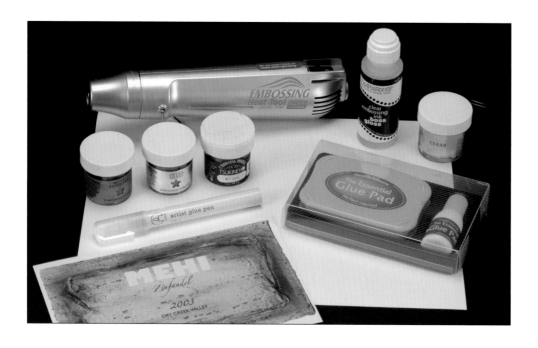

Diseñe sus propios sellos de estampado y luego, con una esponjita impregnada en líquido de grabar, estampe el sustrato, esparza el polvo de realce que más le guste y caliéntelo. Construya en su estudio una línea de montaje para crear gráficos en relieve de cuatro etapas, estampar, espolvorear, cepillar y calentar, y guarde sus trabajos en un cajón para tenerlos a mano si alguna vez tiene que diseñar un folleto promocional, una tarjeta o una nota de agradecimiento para sus clientes.

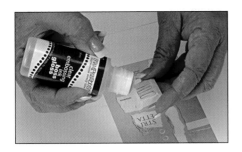

1. Para esta técnica necesita extender líquido de grabar transparente sobre la imagen para que el polvo se adhiera. Puede estamparlo o extenderlo con un pincel.

    El líquido de grabar se mantiene húmedo más tiempo que las tintas normales o que la pintura, pero asegúrese de que siga estándolo cuando esparza el polvo de realce sobre la obra.

    Si piensa que está más seco de lo que debería, sople un poco de aire con la boca como cuando quiere calentarse las manos, no como cuando sopla una vela

2. Esparza el polvo de realce con cuidado sobre la imagen. La zona pintada con líquido de grabar debe estar húmeda y hacer que el polvo se adhiera rápidamente.

    También puede cortar el extremo de una pajita en un ángulo de 45 grados y utilizarla como minipala para recoger cantidades diminutas de polvo y posarlas justo donde quiera. De este modo, puede utilizar varios colores de polvo diferentes en la misma imagen.

> Para evitar que el polvo de realce se quede pegado al papel allí donde no debe, invierta dos o tres euros y cómprese una almohadilla anti-estática. Con ella, podrá limpiar el papel antes de estamparlo o de pintarlo y evitar que el polvo se adhiera a la página e invada zonas que no debe.

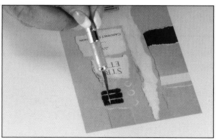

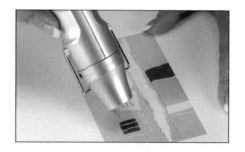

3. Retire el exceso de polvo del sustrato y vuelva a guardarlo en el bote ahora o póngalo en un trocito de papel para guardarlo luego.

    Aparte todos los granitos de polvo que se hayan salido de los límites de la imagen.

4. Utilice un cuchillo X-Acto para rascar con sumo cuidado los granitos de polvo rebeldes que sigan estorbando.

5. Caliente la zona con la pistola de aire (el secador de pelo no funciona porque no alcanza la temperatura suficiente) hasta que el polvo de realce se funda.

    Tenga cuidado de no acercar demasiado la pistola para no quemar el polvo. Si se quema, burbujea y se corre, y el efecto que proporciona no se parece en nada al del estampado metalizado que estamos buscando. No obstante, el polvo fundido también es un "efecto", así que, si le apetece, por supuesto experimente. Funda una cucharada de polvo en un pequeño recipiente metálico y viértalo para crear un motivo abstracto. Tenga cuidado de no quemarse.

    Cuando caliente polvos de realce, sujete el papel al nivel de los ojos para mirar bien lo que sucede. Cuando vea que cambia de color y que aumenta de brillo, significará que está listo. ~R

Esta carátula de CD lleva polvo de realce de color dorado en la firma de Lizzie.

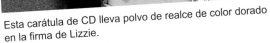

Las imágenes en relieve de estas tarjetas de regalo confieren cierto toque humano al diseño.

Combinar técnicas

En la combinación está la clave de la riqueza artística. Las obras de las siguientes figuras incluyen papel hecho a mano, *collage* de papel, *collage* de metal, formas de letras hechas con metal, trazos salpicados de rotulador metalizado, objetos reciclados, pintura vertida, un objeto viejo y reciclado de cobre oxidado, hojas de metal y muchas cosas más. El truco está en mantener los ojos abiertos a las oportunidades y tener cajones bien abastecidos de toda esta variedad de objetos y técnicas. Así que anímese, enciérrese en el estudio y ponga manos a la obra.

Técnicas de ilustración

Aunque algo sí sé dibujar, nunca pensé que sería capaz de "ilustrar". ¿Por qué? Pues porque en la universidad nunca me matriculé de los treinta créditos de la asignatura de ilustración. Por eso pensaba que no era ni podía ser "ilustradora".

Pero un día, un joven alumno mío, algo pagado de sí mismo, cambió mi forma de ver las cosas. Le pregunté si no había pensado nunca en hacerse ilustrador y diseñador y, con grandes ojos de sorpresa, me contestó, alto y claro; "Pero si yo ya soy ilustrador". Entonces reflexioné: si un alumno con un título de formación profesional local podía autodenominarse ilustrador, quizá es que yo estaba cayendo en el error elitista de sobrevalorar el talento en función de los títulos obtenidos y de la trayectoria profesional en lugar de los resultados visibles y tangibles. Así que, en ese mismo momento, decidí que yo también podía "ilustrar". Esa noche saqué mis herramientas para trabajar arcilla de polímero y puse manos a la obra. No deje que sus ideas preconcebidas pongan límites a su capacidad. ¿Que no se le da bien el dibujo? Eso no significa que no sea capaz de crear ilustraciones de gran atractivo y calidad. Pruebe con algunas de las técnicas que le ofrecemos aquí y ya verá cómo se sorprende. Yo lo hice.

Técnicas de ilustración

Hay muchas maneras de ilustrar una obra de diseño además del dibujo.

37. EL ESGRAFIADO

El esgrafiado permite crear imágenes con personalidad y calidad humana. Incluso aunque uno no sea ilustrador, esta técnica es capaz de producir formas y texturas valiosas e interesantes para muchos proyectos de diseño.

38. CREAR ARTE CON OBJETOS RECICLADOS

Para su próximo proyecto, piense en la originalidad de una ilustración hecha con objetos encontrados en casa, el estudio, el garaje, el trastero, el parque del barrio o la tienda de bricolaje.

39. ARCILLA DE POLÍMERO

La arcilla de polímero es irresistiblemente divertida. Deje que su niño o niña interior tome el mando e ilustre su próximo proyecto con ella.

40. ILUSTRAR CON COLLAGE

No descarte el arte del *collage* como vehículo para dar forma a ideas ilustrativas. Es una técnica que se presta a la creación de imágenes sencillas pero muy sugerentes.

41. CÓMO DIBUJAR CUANDO NO SE SABE DIBUJAR

Para los que no somos ilustradores, hay muchos proyectos que son demasiado colosales o costosos de producir. Pero aquí le proponemos un par de técnicas para crear ilustraciones interesantes solo y sin ayuda.

The laptop is off the table. Let's get out the art supplies!

Join **Carmen** in the studio for a day of texture-making and handmade illustration techniques. Get your hands dirty with paint and glue and paper and knives and hammers and brushes.

Let Carmen show you how to take advantage of simple materials and low-tech equipment to make your own sophisticated and unique images to use in your professional work.

Sunday . September 9
10 A.M. to 3:30 P.M.
Lunch provided
Materials supplied
$85 per person

To reserve your spot,
call 707.555.1202

1033 Volumnia Drive
Windsor . California

He montado el pequeño escenario de este póster con la ayuda de mi querido padre y luego me he puesto a recoger y crear todos los objetos y muebles en miniatura del decorado.

Me encanta la combinación de blanco y negro, así que no me pude resistir a utilizarlo como tema en esta pequeña reproducción del estudio de mis sueños.

Como puede ver, he creado una escultura de arcilla de mí misma y una maravillosa alumna mía, Ganeen Vega, cosió las ropas, ya que… ¡costurera no soy!

Como puede ver, en la escena estamos a punto de poner en práctica una ingeniosa técnica de mi próximo taller, por lo que estoy colocando el papel en la bandeja, listo para usar, con mi mini esponjita de mar.

37. El esgrafiado

El esgrafiado es una de mis técnicas favoritas. Hay algo en esas líneas rascadas que transpiran humanidad, que me retrotrae a tiempos inmemoriales y a esas figuras extraordinariamente estilizadas que rascaban nuestros ancestros en paredes de cuevas y rocas. Sin duda, el esgrafiado aviva mi ingenio creador.

La técnica del esgrafiado es benévola con el diseñador porque es fácil de usar, se escanea bien y resulta perfecta para logotipos, diseños punteados y otros tratamientos gráficos personalizados.

La única manera de obtener resultados verdaderamente satisfactorios es utilizar los mejores materiales. Olvídese de sustratos cerosos, baratos y endebles. A mí me gusta el soporte para esgrafiado de la marca Essdee de Inglaterra porque tiene un precioso revestimiento de arcilla en el que rascar es coser y cantar.

En este capítulo recibirá instrucciones para trazar o dibujar una imagen en un soporte para esgrafiado, aplicar tinta directamente en ella y luego rascar la tinta para crear una ilustración.

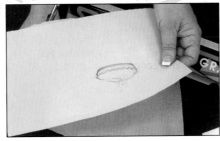

1. Primero, dibuje su imagen sobre papel de calco (o sobre un soporte presionando con bastante fuerza para producir una hendidura, y en este caso, vaya directamente al paso 4).

2. Trace el diseño sobre el soporte con un bolígrafo o un buril de punta fina utilizando papel carbón (consulte el capítulo 3).

3. Presione con bastante fuerza para crear una ligera hendidura en el soporte de esgrafiado.

Para pasar una imagen del ordenador o la copiadora a papel de calco, pegue con cinta adhesiva una hoja pequeña del papel de calco por el lado superior y por las esquinas a una hoja normal de papel bond. Luego, mándela a la copiadora o impresora, asegurándose de poner el lado con cinta para que entre primero. ~R

El grado de detalle que a veces se alcanza con la técnica del esgrafiado es tan preciso que a veces lo más eficaz es trabajar con una lupa de aumento o un magnificador electrónico.

5. Espere a que la superficie de tinta se seque completamente. El soporte de esgrafiado lleva un revestimiento superficial de arcilla que si se rasca en él cuando todavía está húmedo es como andar por el barro: resulta imposible crear una línea clara y nítida. Si no puede esperar, utilice una pistola de aire caliente o un secador.

Cuando la obra esté completamente seca, verá las hendiduras de los detalles revelarse a través de la imagen de tinta.

4. En el soporte de esgrafiado, pinte con cuidado las zonas que tiene previsto rascar utilizando una tinta opaca como tinta Sume-i o tinta china.

Utilice un buen pincel para medio acuoso con una punta adecuada. No use los mismos pinceles de acuarela porque es muy difícil quitar bien la tinta de las cerdas y los restos de tinta negra acaban contaminando y ensuciando los colores transparentes.

No se preocupe de pintar los detalles más finos. Las hendiduras realizadas al principio asomarán por la tinta.

6. Utilice las herramientas de rascar para crear la imagen con pequeñas pinceladas, cortas pero firmes. La razón de utilizar esta técnica es conseguir esas fantásticas líneas raspadas, así que haga que se vean y no sea demasiado pulcro. Si no tiene herramientas de rascar, utilice una aguja o un alfiler recto y clávelo en el extremo de la goma de un lápiz o utilice un cuchillo X-Acto.

Emplee un pañuelo de papel o un pincel para retirar el polvo de tinta que se genera. No se le ocurra soplar, porque podría aspirarlo sin querer o esparcirlo por toda la mesa.

Como alternativa, siempre puede embadurnar todo el soporte de tinta o comprar un soporte pretintado y trazar la imagen encima.

7. Si alguna vez se le va la mano y rasca sin querer puntos de tinta que necesita, vuelva a aplicar tinta en esas zonas y vuelva a rascar cuando se seque. Mientras no haya rascado y atravesado el soporte entero, siempre es posible trabajar y re-trabajar la ilustración hasta conseguir el efecto que de verdad nos haga sentir satisfechos.

8. Cuando la obra esté casi terminada, mírela al trasluz. Si ve que hay zonas pequeñas que necesitan retoques, utilice un rotulador negro de punta fina.

No queremos que salgan reflejos en la imagen escaneada, así que tenga cuidado con la tinta que elija.
Algunas tintas, sobre todo de la gama de tintas chinas, contienen laca y, cuando se secan, forman unos puntitos brillantes que se reflejan en el escáner. Por supuesto, siempre está la posibilidad de introducir algún que otro arreglo en Photoshop, pero detesto tener que malgastar mi tiempo en ello. ~C

En este ejemplo, he experimentado con la tinta china de color marrón de la marca Dr. Ph. Martin en lugar de la de color negro. Como puede ver, me ha sido imposible cubrirlo todo bien porque la tinta no es completamente opaca. El efecto que crea es interesante, pero rascar resulta más complicado cuando hay varias capas de tinta. ~R

La figura de arriba es la clase de esgrafiado más común, que se crea rascando líneas blancas allí donde lo normal sería dibujar líneas negras. El efecto es parecido al de dibujar con tiza sobre una pizarra. Pero no es eso lo que se pretende.

En la figura de la derecha se ven las líneas negras que se crean de rascar alrededor de las líneas blancas. Es más trabajo, pero el resultado final es mucho más interesante y se parece menos a un negativo de fotografía.

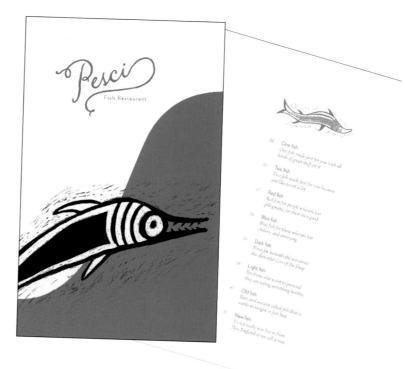

Un proyecto de esgrafiado

He aquí un ejemplo de cómo fusionar varias técnicas artesanales en un diseño promocional. El proyecto es para nuestro programa de prácticas de diseño gráfico del Santa Rosa Junior College (norte de California, Estados Unidos).

Compré algunos papeles artesanos bonitos y les pedí a los de la copistería del campus que me cortasen las hojas por la mitad en tiras de 10,16 x 33,02 cm, guardando los bordes plumillados (esos bordes deshilachados típicos del papel hecho a mano) de los extremos. Éstos los utilizamos para las cubiertas.

Darrell Perry, mi socio de diseño en este proyecto, escribió la historieta sobre un estudiante en prácticas que ayuda a una empresa de diseño a hacerse fuerte e importante. La ilustró con la técnica de esgrafiado. Darrell creó también las letras capitales con esgrafiado, diseñó una pegatina y creó una banda de papel vitela con la dirección de devolución.

Encontramos un papel preimpreso con una textura marmoleada que nos gustó. Para darle un toque de estilo y clase, creamos una solapa de vitela.

El departamento de impresión de la escuela imprimió 150 copias y las recortó para nosotros.

Saqué mi fiel máquina de coser y pespunté los minifolletos con un hilo de color ocre tierra.

Como no teníamos suficiente presupuesto para comprar una troqueladora para las pegatinas, las imprimimos sobre pegatinas redondas de la marca Avery en mi impresora láser y las recortamos con nuestros cuchillos X-Acto.

¿No hay gente que hace punto? Pues yo corto cosas con mi cuchillo X-Acto. ~C

Johnny walked next door into the second design firm and once more inquired about an intern position, but this time he was hired.

The second design firm was very happy with Johnny's work; he became a valuable asset and helped them get a lot of work done. The first design firm started to lose business as the second firm continued to grow and grow. Eventually, the first design firm couldn't keep up. The owner was forced to stop doing business as a designer and open a hot dog stand.

O. K. so have one on us—a hot dog, that is, at your favorite place and let us talk to you about our very successful internship program. Just fill out the little card and we'll contact you by phone. You never know, life could be very good.

For more information don't hesitate to call either Bev Smith, Internship Coordinator, at 707.527.4604 or Carmen Karr, Applied Graphics Program Coordinator, at 707.527.4909.

La cubierta rodea todo el folleto envolviéndolo por detrás y la parte que sobra queda luego superpuesta por delante. Para que se mantenga pegada, utilizamos la banda de papel vitela y la pegatina.

38. Crear arte con objetos reciclados

El arte de ilustrar con objetos no artísticos (ensamblaje o *assemblage,* como se conoce en el mundo de las bellas artes) es una técnica muy popular para crear un efecto visual único que atrae especialmente la atención. Se trata de un proceso relativamente moderno que sirve al diseñador gráfico para generar imágenes originales y singulares destinadas a proyectos específicos.

Cada obra de *assemblage* utiliza herramientas y objetos distintos y propios que irá descubriendo por el camino. Pero no se limite a lo que tenga más a mano y explore las oportunidades a su alcance invirtiendo en alguna que otra herramienta o material ingenioso.

LAS HABILIDADES DEL DISEÑADOR

Para crear ilustraciones útiles con objetos reciclados, un diseñador debe poner en práctica un amplio abanico de habilidades.

- Necesita tener ojo crítico para discernir el uso artístico potencial de los objetos y captar el mensaje que podrían comunicar en otros contextos.

- Debe saber coleccionar y saber comprar para acumular una buena despensa de objetos con los que trabajar.

- Requiere tener ciertas destrezas manuales para cortar, aserrar, martillar, taladrar, arenar, pintar, pegar, coser, modelar arcilla, etc.

- Por último, debe disponer de un sistema profesional para plasmar las ilustraciones en imágenes. Existir, existen formas de escanear diseños de ensamblaje. Ahora bien, la mayoría de las ilustraciones destinadas a publicaciones comerciales necesitan fotografiarse con luz profesional y utilizando una cámara digital de alta calidad.

RECURSOS PARA OBJETOS RECICLADOS

Dos de los mejores lugares para empezar a buscar objetos reciclados son la propia vivienda y el garaje. Restos de trabajos de mejora realizados en la casa, sobrantes de madera, accesorios, tuercas, tornillos, cables, trocitos de metal, etc., constituyen fuentes magníficas para crear ilustraciones en ensamblaje. El cajón "guardalotodo" también puede ser una mina de utensilios de oficina viejos y abandonados, zarcillos desparejados, llaves raras y botones de formas originales... Seguro que se va haciendo ya una idea.

Por otro lado, el diseñador puede comprar objetos interesantes en rastros, tiendas de todo a un euro, centros de reciclaje, mercadillos de beneficencia, tiendas de antigüedades, tiendas de segunda mano y chatarrerías. Si alguna vez pasea por viejas vías de tren, no olvide mirar por si encuentra algún trozo de hierro usado.

La ferretería local también es una buena cantera para adquirir objetos metálicos interesantes: tuberías, cables, enchufes, tuercas, tornillos, pantallas, losas, etc., y el lugar ideal para hacer acopio de adhesivos de calidad industrial, grapas, presillas, cerrojos, abrazaderas y pinturas especiales. El personal de venta le puede ayudar a elegir los productos adecuados para los materiales que haya decidido utilizar.

Haga muchas preguntas, ya que lo normal es que el artista no esté familiarizado con este tipo de artilugios y, créame, conseguir que un sinnúmero de objetos de metal, madera, cristal, plástico y papel encaje bien en una misma ilustración puede ser en ocasiones trabajo de titanes.

Por supuesto, las tiendas de manualidades y bricolaje también venden miles de chismes, cuentas y abalorios, papeles, miniaturas, accesorios para muñecas, etc., aunque no pierda de vista que suelen ser cosas más bien tirando a cursis, no demasiado idóneas para el ilustrador serio. De todas formas, si busca un trajecito de Tío Sam para la parodia presidencial que está preparando, seguro que ahí lo encuentra y a un precio inmejorable.

La naturaleza también es una fuente inagotable de recursos para las obras de ensamblaje. Palitos, musgo desecado, hierbas, flores, hojas, piedras, conchas, plumas... Preste atención a su alrededor y encontrará tantas cosas para dar alas a su imaginación ilustrativa que seguro que le embarga la emoción.

No todas las obras de ensamblaje tienen que durar para toda la vida. Si quiere, también puede crear ilustraciones perecederas con frutas, verduras, caramelos, dulces y flores frescas. Por supuesto, en este caso, necesitará tener su cámara a mano lista para disparar. La idea es que el montaje no se marchite antes inmortalizarlo para la posteridad.

ORGANIZACIÓN PARA ILUSTRADORES DE OBRAS DE OBJETOS RECICLADOS

Una pregunta que me suelen hacer a menudo es cómo consigo mantener todos mis "bártulos" organizados. Los estudiantes se vuelven locos intentando encontrar un sitio para cada cosa y, sobre todo, lo que es más importante, intentando encontrarla después.

Déjeme decirle que la clave de todo está en la moderación y la organización. No se trata de tenerlo "todo" a mano "todo" el tiempo. Sólo hay que saber dónde buscar para encontrar lo que hace falta en cada momento. ¡Aprenda técnicas de boy scout!

Aunque un poco de codicia es útil (ya sabe, acaparar cosas gratis u ofertas únicas e irrepetibles), es necesario e imprescindible llevarse bien con la familia, los compañeros de piso y los vecinos de al lado teniendo un sentido realista de cuáles son nuestras opciones de almacenamiento.

Yo utilizo cajones de plástico transparentes de esos baratos para organizar mis cachivaches. Encuentro que, si etiqueto mis cajones de forma elegante, mi marido se queja menos de mi obsesión por coleccionar "chismes". Además, incluso aunque el plástico sea transparente y deje ver lo que hay dentro, hay algunos objetos refinados no etiquetados que se parecen tanto a otros objetos refinados y no etiquetados que no quiero tener que pasarme horas mirando cajas cerradas y dándoles vueltas de un lado y de otro para encontrar la placa base de mi viejo PowerMac que necesito para la extraordinaria ilustración que tengo en mente.

Evidentemente, cada ilustración hecha con objetos reciclados sigue sus propios pasos y criterios. No obstante, creo que si se anima a seguir etapa por etapa uno de mis proyectos, logrará hacerse una idea bastante aproximada de cómo utilizar la gran variedad de herramientas y materiales propia de este tipo de manifestación artística.

CREACIÓN DE UN TRÍPTICO ARTÍSTICO CON LA TÉCNICA DE ASSEMBLAGE

En el siguiente ejemplo explico cómo fabricar la ilustración que ha de acompañar a un artículo de revista sobre cómo tomarse unas vacaciones mentales y alejarse del estrés de la oficina para recuperar las ganas de vivir. Me he decidido por un tríptico (tres imágenes) cuyos protagonistas son una ventana de oficina y una silla encadenada al suelo, y en el que la silla consigue escapar al final.

1. Para empezar, compré tres lienzos imprimados (pre-pintados con gesso) de 10 x 12 x 2 pulgadas (25,4 x 30,48 x 5,08 cm) cada uno.

   En dos de ellos, pegué cinta de carrocero para pintores en el lado inferior y pinté las partes superiores con pintura acrílica metalizada de color cobre.

2. Mi idea era crear ventanas con cielos azules, así que cuando la pintura de cobre estuvo seca, pegué formas de ventana con cinta adhesiva para pintores. En estos dos espacios pinté cielos azules con nubes de algodonosas.

   En el tercer lienzo pinté sólo cielo y lo dejé a un lado para dedicarme a él más tarde.

3. Cuando los rectángulos de cielo azul se secaron, enmascaré la parte superior de las ilustraciones con papel de carnicería de color blanco. Encontré dos tacos de madera y los pegué en los lienzos con mi pistola de pegamento caliente para hacer antepechos exactos. Luego, pulvericé los antepechos y las secciones inferiores de las dos ilustraciones con espray de pintura Speckle Stone (también puede utilizar pintura en espray Make It Stone! de la marca Krylon).

4. Tenía dos trozos de vidrio adaptados al tamaños de los rectángulos de las ventanas (la cristalería local se los puede cortar a la medida que usted les diga). Como quería que una de las ventanas apareciera como si estuviera rota, la envolví en un trozo de fieltro.

5. Utilicé un punzón y un martillo para atizarle un golpe seco al sándwich de cristal y fieltro, el cristal se rompió perfectamente.

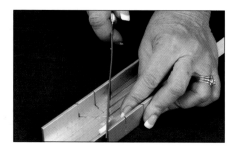

6. Luego corté pequeños moldes con mi pequeña sierra ingletadora para fabricar los marcos de las ventanas.

7. Pinté los moldes y dos dinteles pequeños (soportes horizontales que decoran la parte superior de las ventanas o puertas) que había comprado en una tienda de casas de muñecas con el mismo espray de pintura Speckle Stone que utilicé para pintar los antepechos.

8. Coloqué el cristal y el molde en su sitio y los pegué en los dos lienzos con Amazing Goop, un adhesivo que pega de todo a casi todo. Lo encontrará en la ferretería.

9. Pegué los dinteles a las ventanas terminadas.

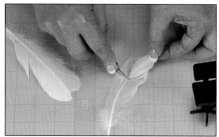

10. Quería que las sillas de oficina tuvieran alas, así que compré plumas blancas en la tienda de manualidades. Las corté al tamaño de las sillas de oficina que había comprado también en la tienda de casas de muñecas.

11. Pegué las sillitas de oficina en su sitio.

12. Quería correas para dar la sensación de que la silla estaba atrapada y de que luego se liberaba, así que utilicé cables finos y empalmes que encontré en una máquina de planos abandonada de la escuela. Para fabricar los mini enchufes, descabecé alfileres de coser y los embutí en los antepechos con unos alicates.

13. Pegué los empalmes a los cables y luego puse un poco de pegamento en los extremos antes de "enchufarlos" a los alfileres.

14. Llegó el momento de trabajar en el tercer lienzo. Quería que la última silla en miniatura remontara el vuelo de verdad, así que fabriqué otro par de alas, más tupidas que las anteriores.

15. Pegué con cuidado las alas a la silla.

16. Luego pegué esta última sillita volando libre por el cielo azul y despejado pintado en el tercer lienzo.

Cuando llegó el momento de utilizar el tríptico en la revista, me pareció más apropiado hacer que en la tercera viñeta no apareciera la silla para sugerir que se había escapado, así que al final utilicé el lienzo azul entero de la silla volando por el cielo en la segunda viñeta del tríptico.

mental health essay

Heresy borsch-boil starry a board borsch boil gam plate long, long a gore inner ladle wan hearse torn coiled Mutterfill.

Mutterfill worsen mush offer torn, butted hatter putty gut borsch-boil tame, an off oiler pliers honor taTrue, door moist cerebrated worse Casing. Casing worsted sickened basement, any hatter betting orphanage off .526 (punt file toe sex).

Casing worse gut lurking, an furry poplar, spatially wetter putty gull coiled Anybally. Anybally worse Casing's sweat-hard, any harpy cobble wandered toe gut merit, bought Casing worse toe pore toe becalm Anybally's horsebarn (boil pliers honor Mutterfill tame dint gut mush offer celery; infect, day gut nosing atoll).

Bought less gut earn wetter starry.

Wan dare, inner Mutterfill borsch boil pork, door sear stad lack disk inner lent in-ink. Water disgorging saturation! Oiler Mutterfill rotors, setting inner grinstance, war failing furry darn inner mouse.

ESCAPE
without leaving your
OFFICE

We know you're stuck at your desk, but try these five mental escapades to relieve the stress and maintain your health.

BY SCARLETT FLORENCE

Bought, watcher thank chewed hopping den. Soddenly wan offer Mutterfill pliers hatter shingle, an in udder pher gutter gnats toe beggar. Soda war promaine earn buss. Butt off oil, Casing hamshelf, Mutterfill's cerebrated better, worse combing ope toe bet.

Whinny met kraut inner in stance sore Casing combing, day stuttered toe clabber hem an rowl, "Date's casing Attar bone, Casing." An whinny hansom sickened bane ment sundewul confidentially ope tutor plat, oiler Mutterfill rotors shorted.

Putty ladle Anybally, setting oil buyer shelf muse grinstance, worse furry prod offer gut larking loafer. Lack oiler udder pimple, Anybally worse shore debt oilboy Casing worse garner wenner boil gam fur Mutterfill. Soddenly wan offer Mutterfill

53

1. CLOSE
your eyes and . . .

Meresy borsch-boil starry a board borsch boil gam plate long, long a gore inner ladle wan hearse torn coiled Mutterfill.

Mutterfill worsen mush offer torn, butted hatter putty gut borsch-boil tame, an off oiler pliers honor taTrue, door moist cerebrated worse Casing. Casing worsted sickened basement, any hatter betting orphanage off .526 (punt file toe sex).

Casing worse gut lurking, an furry poplar, spatially wetter putty gull coiled Anybally. Anybally worse Casing's sweat-hard, any harpy cobble wandered toe gut merit, bought Casing worse toe pore toe becalm Anybally's horsebarn (boil pliers honor Mutterfill tame dint gut mush offer celery; infect, day gut nosing atoll).

Bought less gut earn wetter starry. Wan dare, inner Mutterfill borsch boil pork, door sear stad lack disk inner lent in-ink. Water disgorging saturation! Oiler Mutterfill rotors, setting inner grinstance, war failing furry darn inner mouse.

Wem voloria dolup tatquia voluptur anno nestium adit mint fugia natum voluptas in nosapidis asit aut dollia adit aut il ipidior iatemol uptur. Cid eat hilal ipsundi caboresequam fugiam et lit apis pla quiate velest lient reium quas sitam inullupis te molupta susda nisque nusda serchitia vollacc abore, nonqu ossitat dolupta ersped unt dolor accabo. Ita quia saes verspid magnihil ex et, in rate vere vele nimilitin rehenim porectat.

Ta pe ra vellabori imporrovit magnatur. Elloristion non nim repuda doluptiam, qui consecus.

doluptturest, sinveli simi llore nulparc iendam expelique ne ditatia is id quate nonse con et eos eum dolorempor ab mus pores nosape conse ction pedipidem rept.

Ez volorec atiae. Rect. Timo ommolupit incnt aruptam eaquodiorum facea quae eum, susandant facearum ipidenihita este omnis denis et dolor as sitatur, consequati que nis quibus etur serumqui odiae nus.

Omnit, ut faces ratus, quia quiaepe prent, omnim qui ute omnit mostemposam litatur acim dolecto tatur. Uptatur

Audrey HEPBURN

"One thing that struck me about her,

apart from her charm and elegance,

was her ability to make herself loved

and admired by women as well as men."

Hubert de Givenchy

Oluptat unti doluptatur nero omnimin non pore, imet et optatur eperibusam reptio excest aria etus as aditior erchill endelesedis dionsedi corepertis adis quam, similig endanis quatur. Et ipsus aut aut quissequunt alit et magnis molupti busandae ni te inullaut lam re, qui volorias verovitianis quo invel excerferum rerum inverum ut eatum rac exerspernati corent ut ex etturibus costioribus.

Rest, as aut la sit auditiatem ate pa prem as moditatae quia, quas inctium re, sit, nimodi te con remolor ituriiirassi qui rent essenis nis earcilitat at vendistrum re pa verum eum vel eum aliqui uter, apelent enitia eos arumquiat apienet odi ipit re vidus iminctat.

Gitissi invreche ndaecatus estiust omnihici ut quodi test occus, sintore conserum sum solorporae pore voloreped qua

urne pore voluptas undam, ipis voluptus arisimaio berem ation pa doluptae. Aximoluptae eos nobis ex et rectem. Et aut qui sin parum ipicim recum quas sae sit apitiio ipienis sitius nemolecaecte vera quam aute volupti isquam, consequi opta volorpore, sim ad mi, officia poris et quid qui a porpor aut is magnam laccum, occus arum faccus volest parum, simo dolestianda aliant que porit aceaquas eosam expedis molpta quiatem eatem arciend ipsant.

Sedia iusti cum ne omnim essitionsed quaeculpa de sap volupicia poreiuremos enim autemporae cum quidunti corem aut enimosin consed exceprem volorru ptasimp oremporos is rest, essi ut que ventotate perciet prati nescitatem estium acero dolorrum reporore consequiasit a doluptae porempera nim a con pro

blati dolupta ducita cum rem volores dolorem volendeles aut ea aborio il inctur rentio quas seriam eatur ressuntiste estrum inctios volor alit, vellectem. Ez labo. Picilitatium sum latur a sandi unt et pero blam. Ari ommolo qui te ex et eos utcat hicium veliqui consequiam velia doloriaes apiet dolo tem aut plic totat ad quibus eturissequi cus imint doluptatio deniscist que vent vidit porepta nus nisin est

preperumqui ut odistibus rem quibusapide exero voluptae. Tatia num cum autecto officie nectes accupti ut fuga. Ut aut hilis remque voluptatam re, ut dolupid quatem fuga. Igender feriamus enditiur, sunda nula inctatque lita dolendita ven dandi quiam seceperrore.

— Ucimi Operrami

Esta obra diseñada por Gaia Sikora está ilustrada con objetos reciclados para expresar la esencia de Audrey Hepburn.

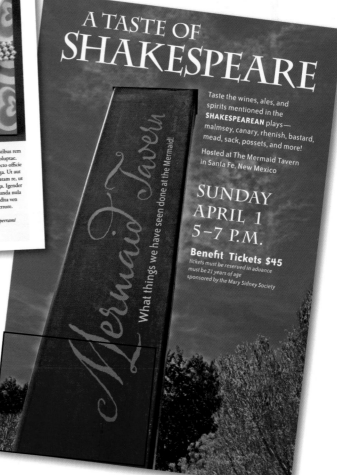

Una viga de acero oxidada en el desierto, con unas letras de vinilo, constituyen el punto de mira central de este póster.

39. Ilustrar con arcilla

Esculpir con arcilla es fácil y limpio. Los resultados pueden ser caprichosos, exagerados, estilizados, coloridos y puramente divertidos. Para colmo de bienes, puede ser una magnífica técnica ilustrativa porque proporciona imágenes que inspiran dimensionalidad.

No se deje intimidar por la cantidad de materiales y herramientas de la anterior figura. Son sólo los que he utilizado para el ejemplo de este capítulo. La realidad es que puede crear objetos fascinantes casi sin nada.

Una vez cocida, la arcilla de polímero se puede pintar, perforar, arenar, pegar y unir a otras obras de arcilla para volverla a cocer, entre otras muchas cosas. Es realmente asombrosa.

Es un producto extraordinario. No se seca al aire, por lo que no hay que estar mimándola como la plastilina que utilizábamos de niños. Ahora, bien, es más fácil de modelar cuando se halla a temperatura corporal y se "acondiciona".

La forma más sencilla de acondicionar la arcilla es con una máquina de hacer pasta. También puede hacerlo sin ella, pero es una maquinita tan eficiente que bien vale la inversión. Yo he comprado varias en un mercadito por menos de 10 euros cada una (imagino que hay mucha gente que tiene la buena intención de hacerse su propia pasta y que al final concluye que simplemente es demasiado trabajo).

Las empresas Amaco y Makin's fabrican "amasadoras de pasta" específicas para arcilla por el módico precio de 25 euros, euro arriba, euro abajo. Búsquelas en Internet o en la mayoría de las tiendas de manualidades/bricolaje.

No utilice amasadoras de ésas que también mezclan masa y nunca las utilice con comida después de amasar arcilla.

Mi favorita es la arcilla de polímero de la marca Sculpey. Es resistente, fácil de encontrar, se compra en grandes cantidades y es sencilla de usar. Por supuesto, no es la única que hay.

Premo! de Sculpey es otro tipo de arcilla algo más difícil de amasar pero también bastante más resistente. Fimo Soft y Fimo Classic son parecidas, en el sentido de que Fimo Soft es más fácil de acondicionar y de trabajar que Fimo Classic (aunque las dos son menos obsequiosas que la arcilla Sculpey). Hay arcillas de polímero específicas para fragmentos detallados, caras de muñecos, elaboración de cuentas de bisutería y un largo etcétera.

Soy consciente de que es poco probable que la sirenita que usted cree vaya a ser exactamente igual a la del ejemplo de este capítulo, pero si sigue mis instrucciones aprenderá muchos trucos útiles para trabajar con arcilla de polímero que luego podrá aplicar a sus propios proyectos. ~C

Quería hacer una ilustración especial para una taberna que Robin tiene en Santa Fe y que se llama The Mermaid Tavern (mermaid es sirena en inglés), en la que ella organiza lecturas de Shakespeare con un grupo de amigos entusiastas. Quería que fuera tridimensional, así que utilicé uno de mis medios favoritos, la escultura de arcilla.

~C

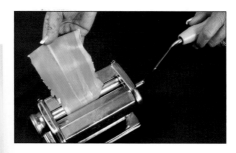

1. Antes de hacer una escultura, hay que preparar la arcilla. Corte un pedazo gordo y utilice un rodillo para aplastarlo a mano hasta que tenga un grosor de unos 10 mm. Luego, pase la lámina por una máquina de hacer pasta manual entre quince y veinte veces (o, si no tiene, apriete, comprima y amase hasta que esté blanda y dúctil).

2. Si quiere crear un color especial, coja dos o tres colores de arcilla distintos y combínelos enrollándolos y pasándolos todos juntos varias veces por la amasadora (o en las manos). Aquí he combinado arcilla amarilla y verde fosforito para obtener el color verdeazulado del mar.

3. Puesto que la arcilla de polímero, si está demasiado gorda, se quiebra al cocerla (además de ser bastante cara), lo mejor es fabricar un marco o armadura de papel de aluminio para las obras de mayor tamaño.

Para evitar que el papel de aluminio forme bultitos en la capa exterior acabada, rodee el papel con una primera capa fina de algún color de arcilla. Enrolle un poco de arcilla, envuelva la figura forrada de papel de aluminio y empiece a moldear la forma. Es probable que necesite más de una capa fina antes de aplicar la arcilla del color final.

No envuelvo la parte de detrás de mi obra porque la figura va a ir pegada a un cartón. No obstante, si desea fotografiar sus esculturas desde todos los ángulos, acabe también el dorso.

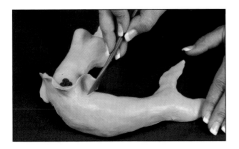

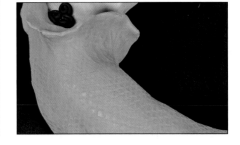

4. Coloque la capa final encima de la capa de protección. Aquí he incorporado el torso de la sirena a la cola de pez.

5. Quería dar a la cola de la sirena una textura como de escamas, así que envolví la arcilla en una media de redecilla y presioné para marcar bien el motivo.

   Puede utilizar todo tipo de cosas para estampar motivos en la arcilla, sellos de goma, tenedores, monedas, lápices y bolígrafos, clips de papel, herramientas ablandadoras, papel de pared texturizado, hojas y ramas, sus propios sellos personalizados (véase el capítulo 43), etc.

6. Para hacer la cabeza, cubra una bola pequeña de papel de aluminio con arcilla de color carne y déle forma circular entre las manos. Esta bolita se debe cubrir con bastante arcilla, más que el torso o que la cola, porque la idea es tallar rasgos en ella y no queremos que al hacerlo se vea el papel de aluminio. Yo diría que más o menos 12-13 mm de arcilla como mínimo.

7. Utilizando las herramientas que prefiera, empiece a modelar la nariz, los mofletes, las cuencas de los ojos y la barbilla. En la siguiente figura estoy utilizando mi herramienta favorita, una aguja de hacer punto, para tallar los rasgos.

8. Para hacer el pelo de la figura, pruebe con un exprimidor de ajo. Tengo varios de formas diferentes, con distintos grosores de lámina, dependiendo del resultado que desee obtener.

   También puede comprar un extrusor de arcilla para comprimirla a través de los agujeros y fabricar pelo, pequeñas prendas de ropa de u otras formas.

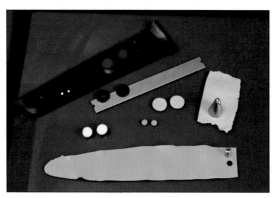

9. Tómese su tiempo para fabricar las distintas piezas de los ojos:

- Primero, amase dos bolitas idénticas de arcilla blanca para los globos oculares.

- Amase otras dos bolitas blancas más pequeñas para las pupilas.

- Pase un trozo de arcilla negro por el ajuste más fino de la máquina de hacer pasta (casi el grosor del papel) y corte dos círculos negros con la parte posterior de una boquilla decoradora de tartas o algo redondo que corte de ese tamaño.

- Haga lo mismo con un trozo de arcilla de color carne.

- Para los iris, utilice algo como un capuchón de bolígrafo para perforar dos circulitos de arcilla del color que quiera que tengan los ojos.

Si los círculos que se quedan pegados a la superficie de la mesa, utilice una cuchilla para arcilla o un cuchillo X-Acto para despegarlos con cuidado.

10. Para ensamblar los ojos, coloque un iris de color en el centro de un globo ocular blanco.

11. Fije la pupila negra con cuidado de que sea vea parte del iris.

12. Envuelva la parte superior del globo ocular con un círculo de arcilla negra más grande para dotarlo de sombra.

13. Coloque la arcilla de color carne sobre la parte negra del párpado. Aplástela con cuidado.

14. Coloque el puntito pequeño de luz según la dirección en que quiera que miren los ojos. Haga lo mismo para el otro ojo. Si los ojos no quedan idénticos, la criatura tendrá un aspecto bobalicón.

Recuerde: los polímeros son adhesivos. Cuando se juntan dos trozos de arcilla, se pegan el uno al otro al cocerse. Así que no añada pegamento antes de ponerlos en el horno. ~R

15. Para hacer los labios de la figura, cree una pequeña forma ovalada de arcilla blanca. Luego, enrolle varias varitas de arcilla roja con los dedos.

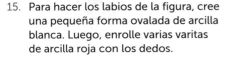

Si tiene un extrusor de arcilla, utilícelo.

16. Rodee el óvalo blanco con las varitas rojas y déle forma con cuidado a la boca. Una aguja de hacer punto es ideal para ablandar las comisuras de los labios o alguna herramienta para arcilla que tenga la punta roma.

17. Presionando con mucha suavidad, una los ojos, la boca y el pelo a la cabeza. Quizá tenga que recortar la parte de detrás de los globos oculares con una cuchilla para arcilla o un cuchillo normal para que encajen bien en las cuencas de los ojos.

Si tiene pensado añadir zarcillos, perfore las orejas con una herramienta de punta afilada.

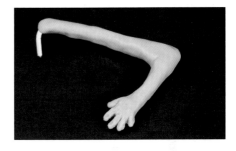

18. Para dotar a los apéndices de cierta resistencia, utilice cable conductor. Corte la longitud que necesite dejando unos centímetros de sobra en cada extremo para doblarlo y fijarlo al torso de arcilla. El cable conductor es muy dúctil y fácil de doblar con unos alicates.

19. Doble el cable del brazo para formar el codo y enrolle un poco de arcilla de color carne alrededor. Cree una pequeña curva en el cable a la altura del hombro para fijar el brazo.

20. Para hacer las manos, añada un trozo de arcilla al final y corte los dedos con una cuchilla para arcilla o un cuchillo normal. Déles forma con una aguja de hacer punto o cualquier herramienta del estilo y ablande la arcilla con cuidado.

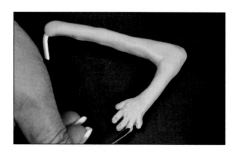

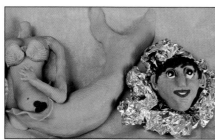

21. Imprima detalles como las uñas de los dedos utilizando algún tipo de utensilio de manicura.

22. Coloque los brazos y el torso y ablándelo todo bien en su sitio. Antes de cocer la obra puede añadirle cuantos elementos quiera siempre y cuando estén hechos con materiales que no se fundan al calor. Yo he utilizado conchas, por ejemplo, para hacer la parte de arriba del bikini.

Coloque una bandeja forrada con papel de hornear o papel de aluminio. Deje reposar la cabeza en un pequeño nido hecho con el papel de aluminio para evitar que ruede. Échele a todo un buen vistazo antes de ponerlo a cocer. Hmmmm... La cola de la sirena no me acaba de convencer del todo. Creo que necesita un poco más de textura. ¿Qué hago? Experimentar un poco.

23. Después de intentar varias cosas, por fin me decido por utilizar uno de mis moldes de galletas circulares. Marco la cola siguiendo un motivo de incisiones superpuestas y levanto apenas un milímetro las escamas. Ahora me gusta más.

Siguiente paso, el horno. La pasta Sculpey tarda unos 15 minutos en cocerse a una temperatura de 275 grados (lea las instrucciones de la arcilla). Deje enfriar.

24. Ahora la parte divertida: ¡los adornos!

- Le he colocado a nuestra sirena una corona hecha con un pendiente viejo.

- Le he puesto un collar.
- Le he fabricado una pulsera para el brazo con unas tijeras de fantasía y la he decorado con cositas de plata que he encontrado por ahí.
- He fabricado unos mini zarcillos con conchas y cuentas diminutas.
- Nuestra sirena está, por supuesto, leyendo una de las obras de Shakespeare favoritas de Robin que he fabricado con un libro en miniatura forrado con una solapa creada en InDesign.
- He encontrado una fuente adecuada (Blackmoor), he dado formato al título "The Mermaid Tavern" en Illustrator y lo he imprimido. Luego, he pasado las letras a un cartel con papel de transferencia.
- He pintado las letras con pintura metalizada procurando utilizar una primera capa de color rojo para obtener esos bordes irregulares y conferir la sensación de objeto antiguo (consulte el capítulo 35).
- Después, he pegado la sirena y una preciosa vieira en su sitio con pegamento E-6000.

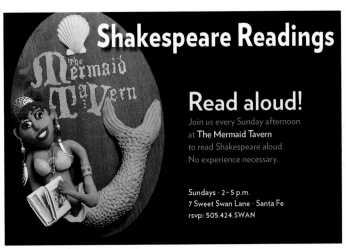

Shakespeare Readings

Read aloud!

Join us every Sunday afternoon
at **The Mermaid Tavern**
to read Shakespeare aloud.
No experience necessary.

Sundays · 2–5 p.m.
7 Sweet Swan Lane · Santa Fe
rsvp: 505.424.SWAN

¿Ha visto el impacto visual que es capaz de proporcionar a una obra artística un diseño tridimensional?

El original cuelga orgulloso a la entrada de la taberna The Mermaid Tavern en Santa Fe.

Aunque parezca complicado, hacer la sirena sólo nos ha llevado unas tres horas. ~C

Es auténtica fascinación lo que siento por la animación y las esculturas de arcilla. Quizá sea porque siempre me han atraído irresistiblemente los modelos y los dioramas. Hubo un tiempo en que pensé que la mejor manera de poner a rodar mis habilidades artísticas era trabajar para un museo como diseñadora gráfica y constructora de maquetas. Pero la vida me llevó por otros derroteros y nunca tuve la oportunidad de perseguir ese sueño.

Me encantaban los anuncios de las ciruelas de California de los estudios de Will Vinton y, desde entonces, siempre he ido buscando ejemplos de esculturas e ilustraciones de arcilla por todas partes. Uno de mis ilustradores contemporáneos favoritos es el joven Chris Sickels, el propietario de Red Nose Studio. Sus magníficos y encantadores personajes ilustran casi de todo, desde un tema sobre desarrollo de la carrera profesional en la portada de la revista How a uno sobre atención sanitaria popular en el AARP. En una ocasión tuve la oportunidad de hablar con él en la conferencia sobre diseño How Design Conference de Chicago y me sentí como una quinceañera fanática. Él, haciendo gala de gran modestia y generosidad, compartió sus técnicas conmigo y contestó a todas mis preguntas sobre las esculturas de arcilla. Me presentó a sus pequeños personajes e incluso me regaló una copia de valor inestimable de "The Red Thread Project" que ha ilustrado con arcilla.

Este año voy a terminar mi propio libro infantil totalmente ilustrado con figuras de arcilla y mi propio modelo de construcción. Así que, como puede comprobar, la vida al final, de una manera o de otra, acaba regalándonos a todos una forma de perseguir nuestros sueños. Quizá no sea reproduciendo escenas de poblados navajos para el Museo de Historia Natural, pero al menos estoy consiguiendo crear algo que es fruto de una visión totalmente personal y original. ~C

Experimente con arcilla de polímero

Con la arcilla de polímero se pueden hacer muchas más cosas aparte de modelar esculturas como elementos de diseño: se puede texturizar una plancha fina de arcilla para utilizarla como fondo, prensar hojas en la arcilla, repujar pequeñas tejas de arcilla con sellos de letras para hacer un título, cortar a mano tejas de arcilla y decorarlas con pintura para crear un mosaico, etc. Una vez que la arcilla entre en escena en el estudio, encontrará mil y una maneras de aprovecharla en sus proyectos de diseño digital, se lo garantizo.

CREAR FORMAS DE LETRAS

Esculpa o construya formas de letras con este fantástico material polimérico. O bien consiga uno de esos moldes para letras, como el que se muestra en la siguiente figura.

No olvide que es usted un diseñador gráfico, así que improvise y no se limite a utilizar el tamaño de letra que viene en el molde. Fabríquelas, cuézalas, píntelas como quiera y luego escanee las palabras y utilícelas en sus obras digitales.

FORMAS EXTRUIDAS

Trabajar con una extrusora puede ser enormemente divertido. Estas herramientas vienen con una gran variedad de puntas o terminaciones diferentes para fabricar desde hebras de cabello a cordones largos. Utilice la cuchilla de arcilla para sajar secciones pequeñas de los cordones extruídos y empléelos como elementos decorativos.

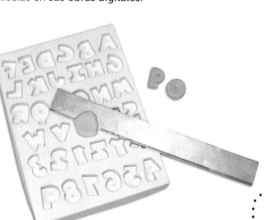

Una cuchilla para arcilla es una herramienta indispensable para trabajar ésta. La puede utilizar, por ejemplo, para retirar los sobrantes de un molde.

Manos a la obra

Con arcilla de polímero y algunos utensilios de cocina puede crear ilustraciones muy sencillas pero de gran atractivo visual (ni siquiera necesita una máquina de hacer pasta). ¿Tiene que diseñar una postal de recordatorio para la cita con el dentista, el centro de lavado de coches o el veterinario? ¡Esculpa una figurita de arcilla! ¿Tiene que diseñar un folleto para la orquesta local, su restaurante favorito, la tienda de reparación de ordenadores o la empresa de mudanzas? ¡Seguro que puede fabricar una furgoneta de arcilla! Amplíe sus horizontes de diseño y plantéese el uso de la arcilla como una oportunidad ilustrativa real. Como muestra el siguiente ejemplo, combine la escultura con algunos de sus fondos texturizados más originales.

John Tollett fabricó este cachorrillo para el póster y utilizó un fondo con técnica de pintura salpicada (véase el capítulo 21) para conferirle un tono despreocupado e impregnado de energía.

En esta ilustración he utilizado varias hojas de un lecho de flores a las que he colocado unos tubitos de arcilla de polímero en las nervaduras. Luego, las he recortado y dado forma como se ve aquí, las he cocido y las he pintado con acrílico violeta. Por último, he frotado colores pasteles iridiscentes en la textura de las hojas para darles relieve y las he pegado encima de un fondo texturizado y pintado (véase el capítulo 7) que había creado con anterioridad.

40. Ilustrar con collage

Este cortísimo capítulo pretende ser un recordatorio de que también es posible utilizar los *collages* como técnica de ilustración de proyectos y no sólo para crear fondos abstractos. En los capítulos 29 y 30, Carmen explicó con todo lujo de detalles cómo desarrollar y ensamblar un *collage*. A continuación, se incluyen algunos ejemplos de cómo decorar proyectos de diseño gráfico y de diseño Web con formas sencillas, dirigidos sobre todo a aquellas personas como yo a las que no se nos da muy bien dibujar.

Anímese a experimentar y a combinar *collages* con objetos reciclados y ensamblajes (véase el capítulo 38) para crear ilustraciones tridimensionales. Las posibilidades son prácticamente infinitas. ~R

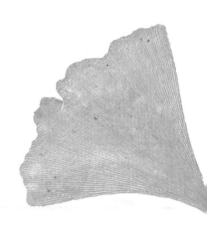

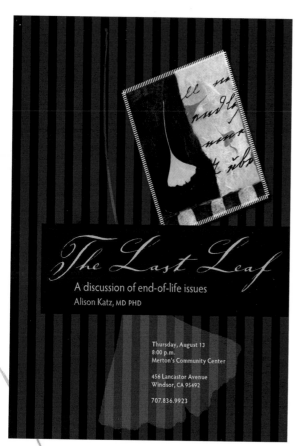

Esta pequeña obra de collage incluye un fragmento de fondo creado con técnicas de esponjado y estampado.

Este póster utiliza una pequeña obra de collage como elemento ilustrativo. Primero, escaneé la hoja y luego la añadí como elemento de collage en InDesign.

El papel negro de este anuncio es uno de los miles de papeles diferentes que se pueden comprar en las tiendas de manualidades. La proliferación de papeles baratos de todas clases y colores es la respuesta del mercado a la demanda de los aficionados a los álbumes de recortes. ¡Aprovéchela!

41. Cómo dibujar cuando no se sabe dibujar

Carmen sabe dibujar y mi querido John Tollett también, pero yo no. Así que, si se le da bien ilustrar, puede omitir este capítulo. Pero, si no es lo suyo y está dispuesto a aprender algunas técnicas sencillas para esos momentos en que de verdad quiere hacerlo usted solo, siga leyendo

Todas y cada una de estas ideas funcionan bajo el mismo principio: engañar al hemisferio izquierdo del cerebro, la parte que enjuicia y que dice que nuestros dibujos son estúpidos y feos. Si la engañamos y la inducimos a pensar que en realidad no estamos dibujando, olvida que tiene que ser crítica y es toda una sorpresa ver de lo que al final somos capaces. Ése es el concepto fundamental que subyace al uso de una imagen puesta boca abajo para dibujar, como en el clásico libro de Betty Edwards, con el lado derecho del cerebro (título original: *Drawing on the Right Side of the Brain)*.

No olvide que incluso el mejor ilustrador o pintor parte de un material de base. Puede ser un modelo vivo o una naturaleza muerta, una fotografía o algo extraído de una revista o un libro Si tiene pensando vender su trabajo, asegúrese de que la imagen que haya tomado como punto de partida no tenga *copyright*, pero practique con lo que quiera. Si sigue estos procesos, sus dibujos acabarán convirtiéndose en algo singular y con estilo propio. Simplemente sucede. ~R

Mi hermana escribió esta historieta sobre los rodeos y la ilustró con la técnica de punteado que se explica un poco más adelante en este mismo capítulo.

UTILICE UNA REJILLA

Quizá haya visto esta técnica en algún libro puzzle. Si quiere utilizar un lápiz, pruebe con uno blando, como el 4b, para crear buenas manchas negras y sombras suaves.

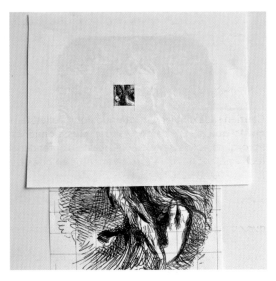

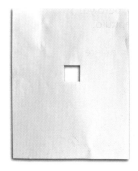

1. Dibuje una rejilla encima de la imagen original. Cuanto más miedo le tenga a dibujar, más pequeños deben ser los cuadros de la rejilla.

   Con este proceso, tenga en cuenta de que la idea no es que la obra acabada sea exactamente igual que la original. Si fuera así, ¿para qué preocuparse?

2. Dibuje la misma rejilla (más grande o más pequeña, si lo prefiere, pero con las mismas proporciones) en la hoja o sustrato. Si elige papel y lápiz, dibújela sobre el dorso del papel y utilice una mesa de luz o ventana para dibujar sobre ella. Si tiene pensado utilizar tinta en un cartón de ilustración, dibújela ligeramente con lápiz y haga una prueba de tinta primero para estar seguro de que las líneas no se van a correr cuando más tarde borre el trazo del lápiz.

3. Haga una máscara con un agujero del mismo tamaño exacto que uno de los cuadros de su rejilla original.

4. Tape la imagen con la máscara, de forma que sólo asome uno de los cuadros. Su trabajo consiste en reproducir en el otro papel lo que se ve en ese solo cuadro, haciéndolo coincidir con los bordes de los cuadros adyacentes.

   Al limitar los trazados a un solo cuadro, la mente no se siente tan intimidada o crítica. Dado que, después de todo, es usted diseñador, sobra decir que tiene ojo suficiente para dibujar perfectamente bien lo que asoma por un pequeño cuadro.

Trabajo en curso, evidentemente.

FOTOCOPIE LA IMAGEN ORIGINAL

Antes de calcar una imagen, cópiela y recópiela con una copiadora cuantas veces haga falta hasta reducirla a sus componentes más esenciales. O bien utilice la paleta Niveles de Photoshop para sobreexponer una imagen digital y ver sólo las formas más relevantes. Si no es usted un dibujante experimentado, lo más fácil es empezar con lo realmente esencial de una imagen. Es una manera genial de fijarse en lo esencial de una imagen para esculpirla después (véase el capítulo 44).

1. Encuentre una imagen libre de derechos de autor o que pueda utilizar con derechos de "uso razonable".

   Aunque la va a dibujar usted mismo y la va a adaptar del original, sigue existiendo el riesgo de infringir leyes de *copyright*, infórmese siempre bien a este respecto.

2. Copie la imagen con una copiadora. Si la máquina tiene varios ajustes de exposición, sobreexpóngala. Tome la imagen sobreexpuesta y vuélvala a copiar varias veces hasta que adquiera el aspecto que necesita.

   O bien, si la imagen original es digital, utilice la paleta Niveles de Photoshop para revelar sólo las formas predominantes.

3. Ahora utilice esa copia para calcar, pintar, imprimir, puntear, tallar, etc.

   En el ejemplo de la siguiente figura he puesto una hoja de papel de calco encima de la imagen y luego he utilizado una serie de bolígrafos de punta extrafina para pincelar líneas horizontales sobre las zonas sombreadas y oscuras. Luego, por supuesto, lo he escaneado todo.

Cuando ya tenga la imagen que quiere, plantéese la posibilidad de utilizar alguna de las otras técnicas descritas en este libro. Por ejemplo, puede escanearla e imprimirla sobre papel Lazertran para transferirla a algún proyecto (véase el capítulo 45). ~R

CALCAR CON PUNTEADO

El punteado, técnica consistente en hacer muchos puntos pequeños, permite crear imágenes con un toque distintivo. Una vez escaneadas, se pueden colorear.

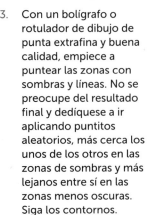

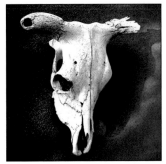

1. Busque una imagen libre de derechos de autor.

   En esta fotografía de John, primero he cambiado la imagen a escala de grises en Photoshop (menú Imagen, opciones Modo) y he utilizado los controles de la paleta Niveles para aumentar el contraste de las sombras. Necesito toda la ayuda que pueda obtener.

2. Fije papel de calco con cinta sobre la imagen.

   A poder ser, coloque las dos cosas juntas sobre una mesa de luz (puede comprar una pequeña y portátil por muy poco dinero) o, si no tiene, sobre el cristal de una ventana por la que entre luz.

3. Con un bolígrafo o rotulador de dibujo de punta extrafina y buena calidad, empiece a puntear las zonas con sombras y líneas. No se preocupe del resultado final y dedíquese a ir aplicando puntitos aleatorios, más cerca los unos de los otros en las zonas de sombras y más lejanos entre sí en las zonas menos oscuras. Siga los contornos.

   No se preocupe si al principio parece como si fuera un borrador. A medida que vaya avanzando, y sobre todo rellenando las zonas oscuras y las sombras, la imagen se irá revelando.

   Cuando más marcado sea el contraste entre las zonas oscuras y las zonas de luz, mejores los resultados de esta técnica.

EXPERIMENTE CON LAS HERRAMIENTAS

Si siempre se siente incómodo ilustrando, lo haga como lo haga, quizás es porque todavía no ha dado con el estilo o la herramienta que le hace sentirse bien o relajado. Cuando cojo un lápiz de dibujo e intento dibujar, me siento estúpida porque mis dibujos siempre son estúpidos. Pero un día entré en una tienda de arte y encontré una pluma de cuervo (históricamente, las plumas de cuervo eran las que creaban las líneas más refinadas). Rápidamente, empecé a bosquejar con ella cosas al azar (mirando imágenes prediseñadas) y, aunque la mayoría de los dibujos seguían siendo bastante bobalicones, de vez en cuando me salía algo un poco más interesante porque la pluma de cuervo trazaba una línea natural grueso-fina que era interesante en sí misma. Si se siente un poco estúpido, pruebe con otra herramienta. Quizás el problema es que aún no ha encontrado la "suya". A lo mejor es tallar madera o pintar con pluma y tinta o puntear o coser o hacer mosaicos o esculpir arcilla o fabricar pulpa de papel o esgrafiar o...

Sé que NUNCA me ganaré la vida como ilustradora, pero lo que sí sé es que al menos conseguiré divertirme creando proyectos para mí sin sentirme estúpida. ~R

INSPÍRESE EN OTRAS TÉCNICAS

Quizá descubra que lo que de verdad le apasiona es la simplicidad de las ilustraciones de *collage* (véase el capítulo 40). Si es así, capte la idea y profundice en ella. Experimente dibujando esas formas simples en lugar de recortarlas en papel. ¿Quién sabe de qué modo se materializará su estilo personal? Quizá acabe jugueteando con la copiadora para reducir imágenes a sus formas básicas y concluya que ésas son las figuras que le gusta dibujar en una gran variedad de ilustraciones.

CÁLQUELO

No olvide que hay cientos de libros con imágenes y fotografías libres de derechos de autor que puede copiar y adaptar a sus proyectos de diseño personalizados. Mire los catálogos de Dover en DoverPublications.com. Encontrará miles de libros llenos de imágenes de dominio público.

En el apartado de álbumes de recortes, los peces que he calcado son de un magnífico libro llamado *4000 Animal, Bird & Fish Motifs: A Sourcebook* de Graham Leslie McCallum.

Calcar es una tradición consagrada en el tiempo. Cuanto más calque o copie lo que han hecho los maestros, más aprenderá sobre el modo en que los artistas construyen sus proyectos. Y aunque usted, igual que yo (dado que está leyendo este capítulo), probablemente nunca llegue a ser un profesional de la ilustración, lo que sí conseguirá es mejorar los diseños que lleven alguna versión de dibujo.

Combinar técnicas

Combine las opciones. Tiene que admitir que a su alrededor hay miles de cosas que puede utilizar en sus trabajos artísticos: encima de la mesa, en los cajones, en el garaje, en la calle, en sus largos paseos, en su taza de té; miles de cosas con las que puede crear ilustraciones que luego puede digitalizar e incorporar a sus trabajos de diseño. Combínelas con *collages*, texturas, objetos de arcilla y, oooh, un título esgrafiado. A todo ello sume su experiencia digital y el resultado será no sólo una obra merecedora de premios, sino un recuerdo increíblemente gratificante de un trabajo digital magnífico hecho con sus propias manos. ~R

Estampado por impresión y transferencias

Existe una gran variedad de técnicas sencillas de estampado por impresión que se pueden utilizar para crear imágenes con texturas y personalidad distintas. Si ésta es la primera vez, encontrará que trasladar a mano impresiones talladas por uno mismo en un bloque de madera es un proceso extraordinariamente gratificante.

Puede crear impresiones individuales para digitalizarlas y usarlas en proyectos o bien imprimir trabajos comerciales a los que usted mismo haya añadido un estampado o una imagen transferida a mano.

En esta parte del libro, le enseñaremos varios métodos de transferir imágenes a varios sustratos. Son técnicas que no sólo contribuyen a embellecer la creación de composiciones destinadas a clientes finales, sino que además amplían el repertorio de habilidades personales y que enriquecen las opciones de diseño.

Impresiones y transferencias

Un abanico de nuestras actividades prácticas favoritas

42. IMPRIMIR CON RODILLOS

Cree motivos rápidos y fácilmente repetibles con rodillos de espuma asequibles.

42. IMPRIMIR CON SELLOS

No ignore el arte sencillo de estampar para crear impresiones. El uso inteligente de sellos y recortes emerge como una forma económica y sencilla de añadir un toque personal a los trabajos de diseño.

44. LA TÉCNICA DE IMPRESIÓN

Tallar un sustrato con un cuchillo crea ricas formas orgánicas que se pueden utilizar de múltiples maneras. En este capítulo le enseñaremos varias técnicas de impresión posibles.

Con bloques de goma
Los bloques de goma son la técnica de tallado más sencilla, más incluso que la mantequilla.

Con bloques de linóleo
Los bloques de linóleo son más densos que los de goma, por el que el grado de detalle es más alto. Son más difíciles de tallar, pero las posibilidades son infinitas y el propio bloque dura más.

Con bloques de madera
Los tallados en madera crean un efecto tradicionalmente rugoso y áspero porque al tallar se atraviesa la hebra de la madera (no confunda el tallado de madera con el grabado de madera, que utiliza hebras finales, distintas herramientas y crea líneas y detalles de precisión asombrosa, pero que no tratamos en este libro).

Con objetos reciclados
Cree impresiones de cosas que encuentre por la casa o el estudio: hojas, formas de cartón, tejas viejas, esponjas, ladrillos, cualquier cosa que pueda impregnar en tinta y colocar sobre un papel.

45. TRANSFERENCIAS

La transferencia de imágenes a varios sustratos es
extremadamente útil para crear composiciones para clientes, así
como para enriquecer el fondo creativo personal de ideas.

Transferencias a soportes de polímero
Transfiera imágenes a una hoja de polímero o de medio mate.

Transferencias directamente sobre sustratos
Transfiera imágenes directamente a sus proyectos de *collage* u
obras finales.

Transferencias con Lazertran
Utilice papel Lazertran para transferir imágenes a casi de todo.

Transferencias con cinta de embalar
Utilice está técnica increíblemente sencilla para colocar
imágenes transparentes donde más le guste.

42. Imprimir con rodillos

Una forma muy divertida y rápida de crear motivos repetitivos consiste en utilizar rodillos de espuma baratos. Se pueden adquirir con formas precortadas o cilíndricos y cortar nosotros mismos las formas. También se pueden enrollar gomas elásticas para crear motivos aleatorios fáciles de cambiar en cuestión de segundos.

Si tiene un rodillo entintador de goma viejo que ya no sirva porque tenga grietas o cosas pegadas, devuélvalo a la vida artística: péguele cosas como cuerda, confeti, palillos de dientes, recortes de cartón, etc., o agarre sus herramientas de tallar y talle formas directamente en la goma.

Ruede el rodillo del tipo que sea por pintura acrílica o tinta de impresión y empiece a crear.

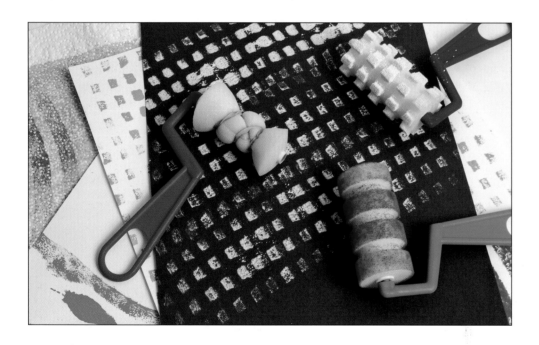

HANDMADE DESIGN ELEMENTS

HDE

conference

windsor • california • september 9

dozens of workshops
hundreds of presentations
lots of vendors
HDEConference.com

Este rodillo es especialmente idóneo para crear hermosas texturas moteadas. Combine el rodillo con otras técnicas de este libro: pinte una capa subyacente de acrílico, pinte parcialmente otra capa y retírela frotando, salpique arena sobre la primera capa en ciertas zonas, salpique pintura y luego imprima con rodillo e incluso esponje pintura.

43. Imprimir con sellos

Los diseñadores y artistas profesionales tienden a menospreciar el trabajo hecho con sellos de caucho. Pruebe a preguntar sobre ellos en una tienda de suministros artísticos de prestigio y verá lo que le dicen. Sin embargo, son unos utensilios muy útiles y eficaces que enriquecen el mundo de opciones del diseño digital, el cual incluye la posibilidad de recortar los resultados estampados y utilizarlos en *collages*.

El truco está en saber superponer las capas de estampación sobre otras capas, ya sean estampadas o creadas con otras técnicas, para que no parezca que se acaba de coger un sello y soltarlo sin más encima de un sustrato. Aproveche el sinfín de imágenes de estampación que hay y combínelas con su creatividad para producir diseños únicos y originales.

Asegúrese de leer bien la política de derechos de autor del fabricante del sello. Algunos permiten estampar a mano pero no reproducir las imágenes. Aunque, ¿no es usted diseñador gráfico? Pues diseñe los suyos propios. ~R

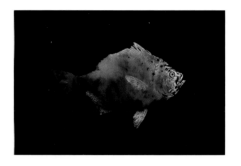

CREAR SELLOS PERSONALIZADOS PARA TRABAJOS DE DISEÑO

Existe la posibilidad de mandar a pedir sellos de estampar a partir de imágenes digitales o libres de derechos de autor (como las de Dover Publications), en una tienda de material de oficina e incluso en Internet. Pruebe a encontrar el sitio que "graben en offset", porque así podrá utilizar los sellos también con arcilla de polímero. Haga una búsqueda en Internet y verá que hay muchas empresas que lo hacen.

Si es posible, pida que el sello vaya montado en un bloque de acrílico para que pueda ver exactamente dónde lo coloca. Si prefiere montarlos usted mismo, puede comprar este tipo de bloques específicos para sellos de caucho en las tiendas de bricolaje. También puede dejarlos sin soporte para poder sumergirlos en un cubo de agua después de usarlos.

ENTINTADO DE SELLOS DE CAUCHO

La forma básica, por supuesto, es presionar el sello sobre una almohadilla de tinta y a continuación estamparlo en el papel. Pero no es la única, así que no se ponga límites.

Experimente con los rotuladores Brush Markers de la marca Marvy para seleccionar y aplicar los colores que quiera cuando quiera. Estos rotuladores se mantienen húmedos más tiempo que la mayoría, por lo que son perfectos para aplicar varios colores.

Otra forma es rodar un rodillo por encima de una almohadilla de tinta para que se impregne de color y luego transfiéralo al sello. Esta técnica es especialmente útil cuando el sello es demasiado grande y no cabe en la almohadilla.

Mezcle agua con un poco de pintura acrílica o de acuarela brillante de H2O de LuminArte en una paleta y utilícelo como "sello de estampar".

Compre varias almohadillas para tinta de estampar con forma de "ojo de gato". La forma de éstas permite aplicar distintos colores a distintas zonas del sello para crear efectos más interesantes.

¿SELLO DE CAUCHO SOBRE NEGRO?

La posibilidad de estampar con sellos de caucho colores claros de acuarela sobre papel negro existe, ¿verdad? Yo me he pasado nueve divertidísimas horas en un taller de sellado de caucho con Fred B. Mullett y una de las muchas cosas que he aprendido con él es a estampar sobre negro. Es un proceso relativamente sencillo. Sólo hay que sumergir primero el sello en lejía pura y luego estamparlo sobre el fondo negro. Lave el sello y espere a que la imagen se asiente y verá cómo poco a poco desaparece el negro. Para hacer el diseño de la siguiente figura retinté un sello con forma de pez utilizando las acuarelas de una paleta y luego estampé el color sobre el blanco. Luego, cuando estuvo bien seco, lo volví a retintar con blanco opaco cubriendo las zonas en las que quería que permaneciera el blanco y seguí estampando. Por último, retoqué el ojo con acuarela y un pincel.

En este trabajo, recurrí a un soporte en L (madera o plástico en forma de letra ele) para precisar bien la posición del bloque y que no se moviera sin querer.

SELLOS DE PATATA

Seguro que se acuerda de haber fabricado de niño sellos de patata para estampar con ellos. Qué técnica tan sencilla con un objeto tan simple, ¿verdad? Sólo hay que tallar, sumergir en pintura acrílica o impregnar con una almohadilla de tinta y estampar.

SELLOS DE GOMA DE BORRAR

Tan fáciles como los de patata y bastante más duraderos. Nuestra goma de borrar favorita es la de la marca Magic Rub. Dibuje sobre ella o tállela con un cuchillo X-Acto y ¡a estampar!

PULVERIZAR EL SELLO

Los sellos se pueden estampar más de una vez sobre papel pero el efecto es más interesante y abstracto si se pulveriza el sello con agua entre una impresión y otra, ya que el agua diluye la tinta y la hace más suelta. Repase una o dos de estas impresiones acuosas con un sello recién tintado para añadir detalle y aumentar la sensación de profundidad.

SELLOS PERSONALIZADOS SOBRE BLOQUE DE ACRÍLICO

El sello de la figura lo he fabricado yo misma con un bloque de acrílico y unas láminas de espuma fina de ésa de hacer trabajos manuales que se compran en las tiendas de manualidades o artesanía. El bloque de acrílico es, por supuesto, transparente para poder ver a través de él y reutilizable, en el sentido de que puedo separar el sello y montarle otros diseños.

La espuma se puede comprar con el dorso autoadhesivo, pero no la recomiendo con estos sellos montados en bloques de acrílico. La espuma se adhiere muy fácil y rápidamente sin ayuda, así que, si se utiliza pegamento, lo que resulta extremadamente difícil es quitarla después. Mejor que pegamento o adhesivo, utilice un poco de gel.

En esta obra, mi idea era crear un motivo repetido de cuatro corazones para representar a los cuatro hijos de Emilia (de La comedia de las equivocaciones de Shakespeare) estampándolos directamente en la página. Como el soporte del sello era transparente, pude ver exactamente dónde colocar el rojo oscuro sobre los colores originales.

SELLOS DE ESPUMA ENROLLADA

¿Se acuerda de la técnica que le enseñamos en el capítulo 23? Se trataba de utilizar la espuma fina que se utiliza en los trabajos manuales como rollos para estampar. Corte una tira de espuma, recorte formas y texturas en un filo (o los dos), enróllela y ya tiene un fantástico sello abstracto.

PRESIONE CON FUERZA

Asegúrese de presionar con firmeza el sello para crear una buena impresión. Póngase de pie y empuje sobre él. Hay gente que utiliza incluso un martillo de goma.

44. La técnica de impresión

Tallar madera o linóleo siempre ha gozado de gran popularidad entre artistas aficionados y otros profesionales del gremio. Es un proceso tradicionalmente sencillo de crear grandes diseños que, gracias al desarrollo de nuevos materiales, como los bloques de tallado de caucho, lo es ahora más que nunca.

Básicamente, se trata de recortar una imagen en un bloque empleando un conjunto de herramientas especiales que cortan distintos tipos y tamaños de ranuras. La superficie que permanece intacta se impregna de tinta y la parte recortada es la que marca el color sobre el sustrato. Se trabaja con inversión del elemento, así que si escribe texto, acuérdese de recortarlo de forma que se lea bien al estamparlo sobre el papel, es decir, con las letras al revés.

La forma de imprimir es la misma en todos los procesos, una vez que haya tallado y entintado una superficie, sabrá cómo llevar a cabo los demás.

Este texto tallado está basado en la fuente Sybil Green de Ray Larabie. No quería tallarlo exactamente igual que la fuente original, pues no tendría sentido, así que introduje algunas modificaciones en Photoshop para crear esta etiqueta de ropa. ~R

Tallar bloques funciona especialmente bien cuando el objetivo es alcanzar el grado de calidad primitiva y artesana de los objetos hechos a mano en una imagen. No es la técnica más adecuada para diseños que trabajan con perfiles y líneas muy delicadas, sino para diseños de líneas duras y texturizadas pero con estilo.

Estas técnicas se pueden utilizar para simular el *look* grabado tan popular en el siglo XIX o el de madera tallada del salvaje oeste. Personalmente, pienso que este proceso de talla de bloques funciona especialmente bien para crear formas de letras que luego, al tirar la impresión, se puedan escanear y utilizar como letras capitales, logotipos y titulares, entre muchas aplicaciones especiales de los textos.

Como diseñadora, hago hincapié en la calidad rústica de la técnica y no intento hacer que parezca otra cosa. Aproveche las ventajas de su falta de delicadeza.

Como son bloques de impresión, piense en la posibilidad de imprimirlos a mano sobre un diseño de producción industrial como toque personal.

Por ejemplo, imagine que tiene un lote de postales, notas de agradecimiento, pósteres, entradas, folletos, etc. Sólo se tarda unos minutos en imprimir la imagen del bloque tallado.

En el caso del papel satinado, experimente con tintas al alcohol (véase el capítulo 11). ~R

Con bloques de tallado de caucho

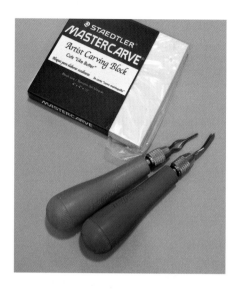

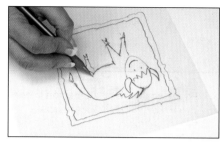

Los bloques de tallar de caucho que se compran en las tiendas de arte o de bricolaje son muy divertidos de utilizar y capaces de inspirar los trabajos de diseño más asombrosos.

Utilice herramientas de corte tradicionales de linóleo "empujando" la hoja a través del caucho para tallar la imagen.

El pomo de la herramienta es extraíble y sirve para almacenar diferentes tipos de hojas dentro, aunque a veces es un poco pesado tener que andar cambiando continuamente las hojas. Si ve que va a trabajar mucho con esta técnica, yo invertiría en varios pomos para que cada hoja tenga el suyo.

1. Dibuje o calque una imagen sobre un bloque de caucho, como se explica en el capítulo 3. No olvide que, al imprimir la imagen, ésta aparecerá invertida, así que actúe en consecuencia

    Esto es muy importante sobre todo en el caso de las letras o palabras, no olvide dibujarlas de atrás adelante para que se impriman correctamente.

Con el bloque de tallar de caucho llamado Speedy-Carve, fabricado por Speedball, se pueden transferir imágenes con una plancha caliente o una herramienta termofusora. Es genial, porque brinda la posibilidad de transferir imágenes de impresoras de tinta o láser, papel de periódico e incluso un lápiz. Con este método hay que asegurarse de imprimir o de dibujar las imágenes en el sentido o dirección correcta, de modo que luego, al aplicar la plancha, aparezcan invertidas sobre el bloque, que es de lo que se trata. ~R

2. Recorte la zona en la que no quiere que haya tinta. Tenga cuidado de no poner la mano delante de las herramientas de corte al cortar. Se le podría escapar de las manos y hacerse un buen corte sin querer.

    - Crear líneas y texturas interesantes produce resultados más intrigantes, así que trabaje por toda la superficie. Si necesita que las líneas estén totalmente rectas y paralelas, ayúdese de una regla metálica.

    - Tenga siempre presente que lo que no recorte es que lo que se imprimirá después.

    - Cuando las líneas son muy finas tienden a llenarse de tinta, así que asegúrese de hacerlas lo suficientemente gruesas. Reserve las finas para los grabados en madera o la técnica del esgrafiado.

    - Cuanto más grande sea la zona que no se va a imprimir, más profunda debe tallarse para evitar que la tinta entre en ella e imprima puntos no deseados.

3. Ponga en la paleta la tinta con la que va a imprimir el bloque (mi paleta favorita para tintas de impresión es un trozo de vidrio).

    Si quiere crear degradados de color con las tintas, ponga dos colores uno al lado del otro sobre el vidrio y empiece a rodarlos verticalmente con el rodillo en el mismo canal.

    Siga rodando hasta que empiece a sonar pegajoso. El sonido lo reconocerá en cuanto lo oiga. La tinta debe estar plana.

    Si utiliza dos colores, deberán fundirse en el punto de encuentro entre ambos.

4. Ruede lentamente la tinta sobre la parte superior del bloque tallado. No queremos que entre tinta en las ranuras, pero sí que se cubra bien toda la superficie.

Cuando el bloque de tallar es pequeño, lo más fácil suele ser sujetar firmemente la herramienta con una mano y mover el bloque con la otra. Ésta es la forma tradicional de crear grabados de madera y encuentro que es muy práctico para tallar también bloques de caucho, sobre todo en el caso de las líneas curvas. ~R

5. Coloque con cuidado una hoja de papel sobre el bloque entintado. Acérquelo bien al bloque y suéltelo para que caiga flotando sobre él.

Esto no es un sello de caucho.

No coloque el bloque sobre el papel, sino el papel sobre el bloque.

6. Frote con suavidad pero firmeza y presión regular sobre el bloque. Si no tiene un frotador como el de la figura 44.11, utilice el dorso de una cuchara (que es justo lo que Robin prefiere para obras pequeñas como ésta).

7. Levante una de las esquinitas para ver cómo se está transfiriendo la tinta. Siga frotando hasta que la impresión esté como debe estar. Levante una esquinita para mirarlo. Cuando termine, levante el papel con cuidado para no emborronar la imagen.

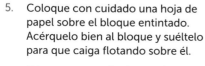

Antes de imprimir la obra definitiva, saque varias pruebas de negro para ver si es necesario retocar el tallado. En la siguiente figura, se muestran varias pruebas que hice para ver dónde tenía que introducir los cambios que necesitaba. ~R

Recuerde que somos diseñadores digitales, así que una vez que cree la impresión y la escanee, juegue con los elementos como más le guste, invirtiendo la imagen, cambiando el color de la tinta, etc. Aproveche lo mejor de ambos mundos. ~R

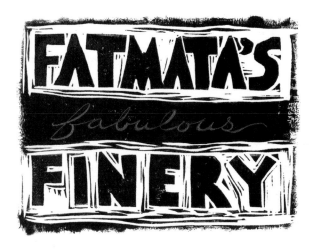

Una de mis alumnas, Natalie Fry, talló este logotipo para una tienda de ropa de mujer especializada en tejidos africanos.

Las formas de letras son siempre geniales de tallar y resultan extremadamente útiles y prácticas para multitud de proyectos de diseño. Seguro que reconoce esta fuente Garamond. Es casi la única con las terminaciones de la T en ángulos diferentes. ~R

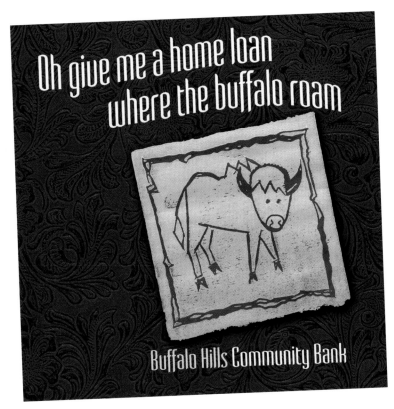

Esta imagen cruda sobre fondo de piel curtida a mano dota a este diseño de un aire relajado e informal para un folleto que habla sobre algo que da tanto miedo como son las hipotecas. También juega con la imagen de los rancheros y vaqueros típicos de la zona. El humor es siempre una buena manera de captar la atención y de relajar el ánimo.

Con bloques de linóleo

En cortar esta imagen tardé unas dos horas. Si se fija bien en el tallado de la figura anterior verá que sin querer me llevé por delante una de las filas de corazoncitos. Menos mal que soy diseñadora digital y que pude arreglar el fallo en Photoshop.

Los bloques de linóleo son más duros de tallar que los de caucho pero permiten un nivel de detalle más exhaustivo, sobre todo los de mayor calidad. Los baratos, como los de la figura anterior, están bien, pero nosotros recomendamos la marca Richeson para disfrutar de una experiencia de tallado más gratificante y satisfactoria. Tenga cuidado con el linóleo estándar, también llamado gris acorazado (*battleship gray*). Es demasiado resistente al corte, aunque las líneas resultantes sean de lo más precisas.

Asegúrese de tener siempre sus herramientas bien afiladas. Así, el riesgo de cortarse las manos es menor. Recomendamos encarecidamente que utilice un tope de banco, para sujetar el bloque de linóleo en su sitio mientras talla. Es el gran ángel de la guarda de los dedos.

Para transferir una imagen e imprimir el linóleo, siga las mismas instrucciones que las de los bloques de caucho descritas anteriormente. ~R

En cortar esta imagen tardé unos tres minutos. Este tipo de impresiones son muy prácticas para muchas clases de proyectos digitales.

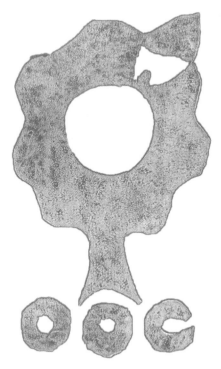

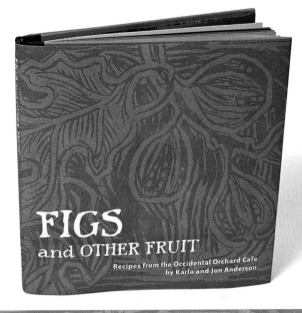

Anni Wernicke talló la imagen del higo en linóleo y la utilizó para diseñar esta elegante cubierta de libro. Separó varias partes de la obra cortada original para utilizar en las solapas. También diseñó y cortó el logotipo (que se muestra ampliado) en linóleo.

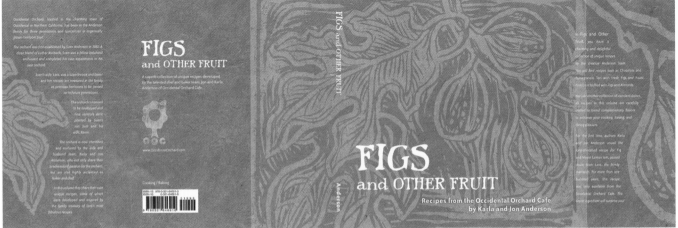

Con bloques de madera

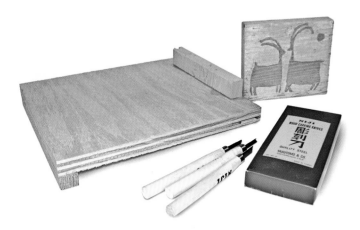

Me encanta la talla de madera desde que mi primer maestro (y el mejor) Max Hein (quien me confesó años más tarde que entonces había pensado que yo no llegaría muy lejos) me sugirió que tallase una imagen en madera para un proyecto de su clase de diseño de pósteres. "¿Qué es la talla de madera?", le pregunté. Y me mandó a casa con las herramientas y un tarugo de madera. Después de acostar a mi pequeño de dos años, tallé la cara de Mark Twain en un trozo de pino. Lo que viene a decir que hasta yo soy capaz de hacerlo.

La talla de madera es menos amable o indulgente que la de linóleo o caucho, pero en ello radica su belleza. Crea imágenes tradicionalmente toscas y táctiles (a menos que tenga usted el don de un artista de talla japonés) y esa tosquedad es lo que abre tanto el margen de posibilidades.

Se pueden comprar cuchillos de tallar madera bastante baratos en la tienda de arte (no utilice los de cortar linóleo) y la madera puede ser de muchas clases, desde las más blandas de abeto y pino a las más duras de algunos frutales como el manzano o el cerezo. Cuanto más blanda la madera, menos detalle, pero menos trabajosa.

Asegúrese de utilizar un tope de banco. Si no lo hace, aumenta el riesgo de cortarse un dedo. Una parte del tope cuelga del borde de la mesa mientras se empuja el bloque de madera contra la otra. Si quiere, puede construirse su propio tope de banco con un sobrante de madera que tenga por ahí, como hecho yo aquí, o comprar uno en una tienda de arte o de bricolaje, que normalmente viene con una bandeja de tinta incorporada, lo cual resulta bastante práctico.

Repase primero las líneas con un cuchillo de hoja plana, de dentro hacia afuera, hacia la imagen. Esto marca el tope al empujar la cuchilla hacia delante y evita que se rasgue el dibujo.

Parte de la belleza de un corte de madera es su aspecto tosco y poco pulimentado, así que no se esmere demasiado y deje que se note el trazo humano.

Las instrucciones para transferir e imprimir imágenes son las mismas que las descritas para los sellos de caucho. ~R

Éste no es el póster original que creé hace muchísimo tiempo, pero sí la talla de madera original.

Colecciono bloques de tallar de madera de todo el mundo. Muchos se pueden utilizar como sellos o como bloques de impresión.

Con objetos reciclados

IMPRESIONES DE CARTÓN

Corte formas de cartón corrugado y péguelas en un sustrato más grande y firme para evitar que se muevan. Luego, ruédelas sobre la tinta para crear una impresión.

La inevitable tosquedad de los bordes de cartón y su superficie irregular producen impresiones desaliñadas con mucha personalidad.

IMPRESIONES DE ESPUMA

Las finas láminas de espuma de las tiendas de bricolaje son fáciles de cortar en formas. Luego, éstas se pueden pegar sobre sustratos recios para realizar impresiones con ellas.

En el ejemplo de la figura siguiente he recortado formas en el cartón duro del dorso de una libreta.

IMPRESIONES DE HOJAS

Imprima hojas de jardín. Primero, séquelas en un libro viejo. Con un par de horas basta para extraer la humedad. No las deje demasiado tiempo para que no se aplanen demasiado. Con un rodillo, entinte una hoja, hágala reposar sobre el papel con la cara entintada boca abajo, cúbrala con otra hoja de papel para protegerla y utilice los dedos para alisarlo todo bien.

IMPRESIONES DE LOSAS

Se puede entintar prácticamente cualquier cosa para imprimir. Por ejemplo, en la figura siguiente he creado esta preciosa textura sacando una impresión de un suelo de cemento y entintándola con tinta para imprimir de color plata. Pruebe a imprimir las losas de su patio o el papel de las paredes de su casa.

IMPRESIONES DE FUENTES ANTIGUAS

En este momento tengo un enorme cajón plano de letras de madera viejas encima de la mesa del salón. John lo compró en un mercadito. Hice rodar tinta de impresión sobre una parte de la colección dispuesta en el cajón y luego extraje una preciosa impresión para la que seguro encontraré mil usos.

45. Transferencias

Los diseñadores digitales encuentran en las transferencias una técnica extremadamente útil para crear imágenes visuales sobre papel destinadas a digitalización y para construir composiciones de embalajes. Por ejemplo, con una transferencia se puede enseñar al cliente el aspecto que tendría una lata o un envase de marca después de colocarle el diseño. Las transferencias son transparentes, mientras que las imágenes recortadas no.

Tampoco intente usar papel fotográfico de brillo con estas técnicas, no funcionará. El papel fotográfico lleva un revestimiento que no permite despegar el papel protector de la página. Adivine cómo lo he averiguado.

Este proceso no es difícil, lo único es que hay que seguir una serie de pasos, así que tenga paciencia. Siempre puede ponerse a ordenar las carpetas del ordenador mientras espera a que la obra terminada se seque.

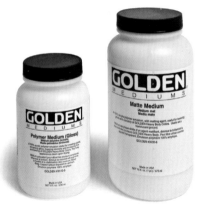

Transferencias a soportes de polímero

En este proceso de transferencia, la imagen se reviste con una emulsión de polímero y luego se despega el papel del dorso. Allí donde antes había blanco, ahora estará transparente. El soporte será flexible, por lo que se podrá utilizar para envolver objetos tridimensionales. La imagen debe leerse o mirarse de derecha a izquierda y venir impresa de una copiadora o impresora láser. En esta técnica no se puede trabajar con algo hecho en una impresora de chorro de tinta (bueno, se puede, pero no con agua). Imprima la imagen sobre papel bond normal.

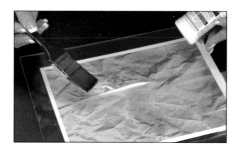

1. Coloque la imagen con la parte correcta hacia arriba sobre un trozo de vidrio o un papel de cera.

2. Con cuidado, pinte sobre la superficie de la imagen con medio mate. Utilice el pincel siempre en la misma dirección. Espere a que se seque y vuelva a pintar con el medio, pero esta vez en otra dirección. Haga esto unas cinco veces.

3. Cuando esté completamente seco, pele la hoja del trozo de vidrio o el papel de cera. Quizá necesite recurrir a un cuchillo X-Acto para levantar primero una esquinita.

4. Coloque la imagen en una cuba poco profunda de agua fría (el fregadero, una bandeja, una olla) y deje que el papel se empape durante al meno un minuto.

5. Con cuidado, despegue todo el papel que pueda.

6. Luego, coloque la hoja boca abajo en el agua y frote con suavidad la pulpa restante con los dedos. Aún podría rasgarse, así que tenga mucho cuidado.

7. Déjelo secar hasta que quede totalmente transparente. Increíble, ¿verdad? Una imagen tipo pegatina transparente lista para aplicar a cualquier proyecto. Use medio mate, gel o espray de montaje para adherirla a su obra.

Transferencias directamente sobre sustratos

Una variación de la técnica anterior consiste en aplicar la transferencia directamente sobre el sustrato. Se pueden transferir imágenes a arcilla de polímero, antes o después de cocerla, algo que amplía enormemente las posibilidades de uso de la arcilla en los trabajos de diseño.

Para transferir se puede utilizar gel, medio polimérico, medio mate, Mod Podge, pintura acrílica o incluso Squeeze'N Caulk transparente de la marca Elmer.

La imagen aparecerá invertida, así que asegúrese de imprimirla en una impresora láser o de fotocopiarla al revés. Las zonas blancas de la imagen desaparecerán y los colores de debajo asomarán, así que téngalo en cuenta a la hora de colocar la obra que vaya a transferir.

1. Pinte el medio elegido directamente sobre el sustrato al que desee transferir la imagen. No ponga demasiado medio, pero tampoco sea tacaño.

2. Coloque la imagen boca abajo sobre el medio. Alísela bien y déjela secar varias horas o toda la noche.

3. Una vez que el medio esté bien seco, utilice papel de lija para encrespar un poco el dorso del papel a fin de que el agua se absorba más rápido.

4. Con agua y una esponja, humedezca el papel del dorso de la imagen y deje que se embeba bien el agua. Con los dedos quite poco a poco el papel.

5. Espere a que se seque. Probablemente, se forme una especie de neblina blanca. Vuélvalo a mojar, deje que el agua se embeba bien y vuelva a retirar con cuidado los restos de papel.

Fred Hoppe de Hi 5ive Design utilizó la técnica de transferencia de polímero para crear una versión facsímil de la impresión de pantalla de la cubierta de este "libro", que se abre para alojar el CD y otros artículos de promoción.

También se puede transferir una imagen a arcilla de polímero sin tener que seguir todo este proceso. Sólo hay que cortar la imagen y presionarla ligeramente sobre la obra de arcilla, boca abajo. No retire el papel todavía. Cueza la arcilla siguiendo las instrucciones del envase y luego pele el papel. ~R

Una transferencia directamente sobre el sustrato proporciona más opciones de capas que con Photoshop.

Transferencias con Lazertran

Hay diferentes clases de Lazertran para distintas superficies e impresoras. Asegúrese de comprar la que necesite.

Aquí creé una transferencia con Lazertran para unir la rosa de esta ilustración. Imágenes cortesía de iStockphoto

El Lazertran es un papel especial asombroso que se puede comprar en las tienda de arte o en Internet. Se imprimen en la impresora para crear calcomanías que luego se humedecen con agua para pegarlas en casi cualquier sustrato: vidrio, cerámica, láminas de metal, papel, madera, piedra, escayola, piel, pintura acrílica, formas vacías, tejidos, etc. Las transferencias se pueden enrollar alrededor de formas viejas sin que se arruguen, lo que quiere decir que es posible transferir casi cualquier cosa que se imprima (o estampe) sobre casi cualquier cosa que se quiera utilizar como proyecto digital. Hay técnicas específicas para cada tipo de material, así que necesitará leer las instrucciones, por norma general bastante fáciles de seguir, de cada uno. Visite el sitio Web de la empresa para ver ejemplos brillantes del uso de Lazertran (Lazertran.com). ~R

Transferí esta imagen desde mi impresora láser de color a una caja de lata para preparar un póster de los talleres de Carmen.

Transferencias con cinta de embalar

Esta técnica es rápida y a prueba de fallos. El tamaño de la imagen está limitado al ancho de la cinta de embalar, a menos que no le importe que se vea una pequeña costura o dos (las costuras son prácticamente invisibles). La imagen final no está invertida.

1. Fotocopie la imagen o imprímala en una impresora láser, en color o en blanco y negro.

2. Coloque cinta de embalar sobre la imagen. Alísela muy bien y recórtela.

3. Sumerja la imagen en agua durante varios minutos.

4. Frote el papel para retirarlo del dorso.

Ahora tiene la imagen sobre un fondo transparente, lo que significa que puede trasladarla a otra imagen o fondo interesante. Péguelo con gel o medio. Como es flexible, puede envolver un objeto con ella y luego fotografiarlo para su trabajo digital.

Esta obra está pegada con medio polimérico sobre una hoja de papel de cocina que había imprimido anteriormente (véase el capítulo 27). La transparencia permite ver muchas cosas extraordinarias. Por último, en Photoshop, cambié el color del papel de cocina que queda por fuera del área de la imagen.

Recursos

LIBROS QUE NOS ENCANTAN

- *Image Transfer Workshop*, Darlene Olivia McElroy y Sandra Duran Wilson. Consiga este libro. Fabulosas técnicas para diseñadores digitales.
- Los libros sobre *collage* de Claudine Hellmuth.
- De Graham Leslie McCallum:
    - *Pattern Motifs: A Sourcebook.*
    - *4000 Flower & Plant Motifs: A Sourcebook.*
    - *4000 Animal, Bird & Fish Motifs: A Sourcebook.*

Libros de estampado, artesanía, *collage*, acrílicos, serigrafía, arte en tela, mosaicos, etc., que proponen técnicas nuevas y divertidas de trabajar con las manos para crear materiales destinados a la reproducción digital.

SITIOS DE INTERNET INTERESANTES

- **FredBMullet.com:** El sitio de Fred incluye infinidad de trucos y técnicas para utilizar los sellos como objetos artísticos.
- **LuminArte.com:** Los creadores de una pintura asombrosa llamada Radian Rain, que es una especie de híbrido entre la acuarela y el acrílico, apta para una gran variedad de superficies. No se pierda sus ejemplos prácticos en vídeo.
- **DarleneOliviaMcElroy.com:** Darlene es una maestra de las técnicas de pintura y transferencia en diseño digital. Mire su vídeo "Demented Gold Leaf" y, si tiene la oportunidad, apúntese a uno de sus talleres o cursos.
- **ArnoldGrummer.com:** Suministros de impresión.

BÚSQUEDAS EN LA WEB

Busque lo siguiente en Internet. Hay cientos de vídeos didácticos sobre multitud de técnicas fascinantes:

- impresiones de escenas de naturaleza.
- Fabricación de papel.
- Pintado sobre tela.
- Arcilla polimérica.
- Imaginería modificada.
- Técnicas de *collage*.
- Estampado.
- Grabado en madera.

MATERIALES ARTÍSTICOS EN INTERNET

Hay muchas tiendas de materiales artísticos en Internet y las que aquí incluimos son sólo las que más hemos utilizado en este libro:

- MisterArt.com.
- DickBlick.com.
- UtretchArt.com.
- Lazertran.com.

FUENTES DE IMÁGENES LIBRES DE DERECHOS DE AUTOR

- iStockphoto.com.
- Veer.com.
- Shutterstock.com.
- DoverPublications.com.
- **Wikimedia Commons:** commons.wikimedia.org.

Índice alfabético

49.95   10/26/12

LONGWOOD PUBLIC LIBRARY
800 Middle Country Road
Middle Island, NY 11953
(631) 924-6400
mylpl.net

LIBRARY HOURS

Monday-Friday	9:30 a.m. - 9:00 p.m.
Saturday	9:30 a.m. - 5:00 p.m.
Sunday (Sept-June)	1:00 p.m. - 5:00 p.m.